Merval Pereira

MENSALÃO

O DIA A DIA DO MAIS IMPORTANTE JULGAMENTO DA HISTÓRIA POLÍTICA DO BRASIL

Prefácio
CARLOS AYRES BRITTO

4ª edição

EDITORA RECORD
RIO DE JANEIRO • SÃO PAULO
2013

CIP-BRASIL. CATALOGAÇÃO NA FONTE
SINDICATO NACIONAL DOS EDITORES DE LIVROS, RJ

P493m
4ª ed.
Pereira, Merval, 1950-
   Mensalão: o dia a dia do maior julgamento da história política do Brasil / Merval Pereira. – 4ª ed. – Rio de Janeiro: Record, 2013.

   ISBN 978-85-01-40235-6

   1. Brasil – Política e governo. 2. Brasil – Política econômica. 3. Julgamentos I. Título.

12-8816
CDD: 320.981
CDU: 32(81)

Copyright © Merval Pereira, 2012

Todos os direitos reservados. Proibida a reprodução, armazenamento ou transmissão de partes deste livro através de quaisquer meios, sem prévia autorização por escrito. Proibida a venda desta edição em Portugal e resto da Europa.

Texto revisado segundo o novo Acordo Ortográfico da Língua Portuguesa.

Direitos exclusivos desta edição reservados pela
EDITORA RECORD LTDA.
Rua Argentina 171 – 20921-380 – Rio de Janeiro, RJ – Tel.: 2585-2000

Impresso no Brasil

ISBN 978-85-01-40235-6

Seja um leitor preferencial Record.
Cadastre-se e receba informações sobre nossos lançamentos e nossas promoções.

EDITORA AFILIADA

Atendimento direto ao leitor:
mdireto@record.com.br ou (21) 2585-2002.

Sumário

Nota do editor — 9
Prefácio — 11

Dúvida saudável — 19
Quem é quem — 22
Recordar é viver — 25
O pós-mensalão — 28
Acredite quem quiser — 31
Sua Excelência — 34
Sem credibilidade — 37
Juízes perguntam — 40
Lavagem de dinheiro — 43
A interpretação dos fatos — 46
Fatos novos — 49
Supremo desentendimento — 52
Quebra-cabeça — 55
As razões de cada um — 58
Clareza de posição — 62
Fase decisiva — 65
O mesmo caminho — 68
Sem nexo — 71
As razões de Lewandowski — 74

Os autos e a vida	77
O Brasil vai mudando	80
Provas e indícios	83
Farsa desmontada	86
Os rumos do STF	89
Um novo enredo	92
Fecha-se o cerco	95
Mão pesada	98
Novas práticas	101
Critérios	104
O revisor heterodoxo	107
O sangue e a alma	110
O STF contra o crime	113
O domínio do fato	116
A vida e os autos	119
Modelo falido	122
As datas	125
Fantasias perigosas	128
Triste realidade	131
O voto e o fato	134
À flor da pele	136
Pontos divergentes	139
O pós-mensalão	142
Visão republicana	145
Hora da definição	148
O papel do revisor	151
Condenação encaminhada	154
A defesa do STF	157
Dirceu faz história	160
Golpe contra a democracia	163
Bravatas comprometedoras	166
Transparência	169

A raiz do mensalão	172
Símbolo absolvido	175
Os vários tons	178
A dosimetria de Barbosa	181
Buscando respaldo	184
Marginais do poder	187
Em defesa da democracia	190
STF se perde	193
Definições	196
Preocupação saudável	199
O voluntarismo de Barbosa	202
Farsa histórica	205
Conflito de poderes	208
Lula no seu labirinto	211
Coerção social	214
O fator Valério	217
O STF e a sociedade	220
A mão pesada de Barbosa	223
Rigor contra corrupção	226
Avanços democráticos	229
Fato consumado	232
Ética republicana	235
Fugindo da cadeia	238
Visão autoritária	241
Duas medidas	244
Deuses e demônios	247
Um juiz na história	250
Os crimes	253
Sem confrontos diretos	256
Estilos	259
Manobra abortada	262
A cidadania reage	265

Retrocesso evitado — 268
A última palavra — 271
Direitos e deveres — 274
Fecho de ouro — 277

Pós-escrito ao julgamento do mensalão
A escolha dos heróis — 279

NOTA DO EDITOR

Este livro reúne artigos publicados em *O Globo*, entre 2 de agosto e 11 de dezembro de 2012. A título de ajuste editorial, os textos, revisados, sofreram alterações mínimas. Para quaisquer informações adicionais ou esclarecimentos, optou-se pelo uso de notas, poucas e sempre incluídas no curso dos artigos.

Para além do prefácio do ex-ministro Carlos Ayres Britto, há outros dois textos inéditos, que Merval Pereira produziu especialmente para este livro: *Fecho de ouro*, dedicado à última sessão do julgamento da Ação Penal 470, escrito a 18 de dezembro e não publicado em *O Globo*, e *A escolha dos heróis*, à guisa de posfácio, aqui apresentado e destacado como *Pós-escrito ao julgamento do mensalão*, um consistente ensaio político, que reflete sobre os mais de quatro meses em que a apreciação pública de um processo pelo plenário do Supremo Tribunal Federal apontou para a maturidade democrática da sociedade brasileira, e que sublinha as responsabilidades imediatas e os desafios futuros decorrentes deste amadurecimento.

PREFÁCIO
Três dimensões e um só pressuposto

CARLOS AYRES BRITTO

Pelo menos três dimensões elementares de Merval Pereira saltam da leitura deste livro de artigos de jornal sobre a ação penal de nº 470, coloquialmente chamada de "mensalão" e em trâmite pelo Supremo Tribunal Federal. Primeiramente, o escritor por vocação. Depois, o jornalista igualmente nato. Por último, sua extrema facilidade para entender das coisas do direito, mesmo não sendo nem jurista nem exercente de qualquer das chamadas profissões jurídicas. Mas todas essas dimensões fincadas num único pressuposto, que não é outro senão o da cidadania em tempo integral e no mais elevado patamar da consciência. Justamente o patamar que nos permite transitar de fim para fim e de topo para topo da existência.

Enquanto escritor por vocação, Merval Pereira confirma, neste seu novo livro, sua total intimidade com as palavras. Mantém com elas um arrebatado e correspondido caso de amor, como é próprio dos homens de letras em geral e dos poetas em particular. Eu mesmo já tive a oportunidade de escrever que o primeiro anjo que voou somente com as asas da palavra foi também o primeiro poeta. Possivelmente valendo-me da mesma base de inspiração que levou Manoel de Barros a dizer que os poetas salvam as palavras da esclerose, e que, se as minhocas arejam a terra, eles, os poetas, arejam a linguagem. Mas não somente os poetas têm o dom da conciliação mais otimizada entre forma e conteúdo dos dizeres humanos. Basta a gente ler um Luis Fernando Verissimo, uma Dora Kramer, um Elio Gaspari, uma Eliane Cantanhede, um Joaquim Falcão, um Mauro Santayana e o próprio Merval Pereira para perceber que, mesmo não sendo poetas propriamente ditos, costumam botar a mais delgada cintura no corpo da língua portuguesa. Fundem-se com as palavras de que fazem uso, à semelhança do dançarino virtuose e a dança, da música e seu arrebatado (por ela) compositor, dos navegantes portugueses dos séculos XV e XVI e o mar de todos os *secula seculorum*, amém. Logo, o objeto a se personalizar no sujeito, o sujeito a se despersonalizar no objeto, de modo a compor um tipo de unidade que é muito mais do que a soma dos dois. Dir-se ia uma terceira e superlativa unidade quântica, exatamente por se constituir num todo tão harmonioso que nem parece feito de partes, ou num resultado tão virginalmente novo que também parece sem causas. E quem sai extremamente favorecido com esse tipo único de fusão estética é a própria vida, sabido que a beleza agrega tanto valor à existência e põe tanta substância nas coisas que os antigos filósofos gregos chegavam a equipará-la à verdade, à bondade e à justiça.

Por que assim? Penso que por esta razão: os escritores natos, modelados que são pela própria mão da natureza, tanto fazem da experiência uma linguagem quanto da própria linguagem uma experiência. E fazem da própria linguagem uma experiência, aclaro, pelo irrefreável impulso de atracar o seu estético olho no ancoradouro dessa ou daquela palavra, desse ou daquele texto, até vê-los ondear feito navio em prumo de partida. Aí é só embarcar. Aí é só embarcar porque o mais apropriado conteúdo chega tão depressa quanto agradecido. Fenômeno assemelhado ao que Einstein chamou de "efeito do observador", para dar conta de que o investigador mais atento de certas matérias subatômicas (prótons, elétrons e nêutrons, principalmente) bem pode desencadear reações em cada uma delas. O sujeito cognoscente a fazer, de alguma forma, o objeto cognoscível. Quero dizer, fenômeno que espiritualistas da majestosa atitude do indiano Jiddu Krishnamurti ou do alemão Eckhart Tolle retratariam como expressão do mais fecundo diálogo: aquele que silenciosamente flui entre a existência mesma e o ser humano que para ela se disponibiliza com total confiança ou sem qualquer nesga de ceticismo. Em suma, estala no céu da consciência dos homens e mulheres de letras ("beletristas", como se dizia antigamente) a nítida percepção de que o sangue da vida também flui pelas veias das palavras. Os mais consistentes conteúdos da vida como que a buscar o revestimento linguístico mais estético, ou o revestimento linguístico mais estético a buscar os mais consistentes conteúdos da vida, sem que nunca se saiba ao certo se tais conteúdos já estavam latentes naquele tipo de revestimento, ou justo o contrário. Não importa a precisa resposta, mas a firme disposição para se entregar ao chamamento da estrada venosa das palavras e assim transitar, em êxtase, da fosforescência dos vaga-lumes à fulgurância das estrelas. Como sempre fez Merval Pereira e agora torna a fazer em cada qual dos artigos deste livro que estou a prefaciar.

Já o Merval Pereira intrinsecamente jornalista, esse desfila pela passarela inteira dos artigos em que inicialmente descreve, não os fatos em que se baseou o então procurador-geral da República Antônio Fernando de Souza para formular a denúncia que, recebida pelo STF, veio a instaurar a ação penal 470, mas aqueles atinentes ao julgamento em si do processo. Vale dizer, o julgamento em sua concreta e pulsante colegialidade, desde a difícil e necessária decisão de realizá-lo (com princípio, meio e fim) até cada qual das sessões subsequentes. Campo em que o notável profissional do jornalismo descreve com fidelidade as alegações finais do procurador-geral Roberto Gurgel Santos; o principal teor das sustentações orais dos advogados de defesa dos réus, sem esquecer a especial participação do defensor-geral da União, dr. Hamon Tabosa, primeiro causídico a absolver um dos sujeitos passivos da ação; a fundamentação técnica de cada voto judicial ali proferido (e chega a ser redundante falar de fundamentação "técnica", pois sem rigorosa tecnicalidade dos votos não há fundamentação propriamente jurídica); a maior ou menor clareza expositiva dos ministros votantes; a pequena, média, ou então elevada taxa de fricção entre os ministros-debatedores, ora no plano argumentativo ou teórico-científico, ora no plano pessoal mesmo; os caminhos e descaminhos em face de um consenso que refletisse o mínimo de unidade objetiva e também subjetiva de uma instância judicante última, como é o Supremo Tribunal Federal; o ponto e o contraponto que marcou a maioria das votações do ministro-relator e do ministro-revisor, Joaquim Barbosa e Ricardo Lewandowski, respectivamente; o papel do presidente da corte em evitar, com a necessária colaboração dos seus pares, que a patente heterodoxia do caso (número incomumente avultado de réus e seu dominante posicionamento político e social favorecido, de advogados, de testemunhas, de provas diretas e indiretas, de volumes dos autos e seus apensos, de quantidade de páginas etc.) viesse a relativizar as garantias processuais dos acusados e até a comprometer a pureza jurídica das decisões nele proferidas, paulatinamente. Tudo isso de par com a revelação do esforço igualmente gerencial para impedir que intercorrências processuais viessem a desembocar em estado de pane igualmente processual. Pane que não ocorreu, como não ocorreu preterição, mínima que fosse, das coordenadas normativas de um julgamento ao mesmo tempo técnico e justo. Até porque processado em cabal ambiência de liberdade argumentativa e transparência procedimental.

Quanto aos fatos de natureza delituosa, aí, sim, Merval Pereira se desloca do campo descritivo para a análise objetiva de cada um deles e respectivo equacionamento pelos ministros votantes. Mas o faz com uma surpreendente acuidade para quem não tem formação especificamente jurídica. Primeiramente, avançando sua própria e abalizada opinião sobre o regime jurídico-penal e até constitucional de cada figura de direito versada no processo. Depois, comentando a qualidade técnica dos votos orais e por escrito do relator, do revisor e dos ministros singelamente vogais, nessa ordem. Empreitada técnica difícil, mas enfrentada com inquebrantável disposição para tudo *passar em revista*, sabido que a inteireza de sentido de cada protagonização humana somente se obtém com sua inserção no contexto em que está elementarmente inserida. O que se viu e agora se revê, então, é um Merval Pereira às voltas com institutos penais do tipo "atos de ofício" (que prefiro entender como "atos *do* ofício"), "domínio funcional dos fatos", "ato consumativo do crime de corrupção ativa" e "ato inaugural do delito de lavagem de dinheiro" (quanto mais se lava dinheiro por aqui, mais o país fica sujo), "coautoria e crime de quadrilha", "concurso material de crimes e continuidade delitiva", "provas diretas e simples indícios", "juízo de culpabilidade e juízo de apenação", "proporcionalidade das reprimendas como expressão do princípio constitucional da individualização da pena" etc.

Fazendo-o, além do mais, pela citação de penalistas de renome, daqui e de fora do país, de parelha com o levantamento de dados aritméticos e datas relacionadas com licitações, contratos de publicidade, emissão de cheques, feitura de saques bancários, entregas *delivery* e transporte de dinheiro, apropriação de bônus de volume, retiradas do fundo Visanet, empréstimos consignados a pensionistas e aposentados, suspensão de processo extrajudicial de liquidação de banco, assinatura de contratos de mútuo para repasse dos respectivos valores a políticos e pessoas outras, visitas ao Banco Central, contatos pessoais com dirigentes e sócios de empresa e banco de Portugal, abertura de conta bancária no exterior, e assim avante. Do que avulta uma vocação nunca assumida para os misteres do direito, pois a verdade é que todos os artigos de jornal agora enfeixados no presente livro tiveram e têm substanciosa valiosidade pragmática e até como espaço de aturada reflexão, juridicamente falando. É o mérito da transdisciplinaridade dos nossos dias, impeditiva do *fechamento em copas* das teorizações do direito e do seu visual reducionista cada vez mais incompatível com sua natureza de fenômeno cultural ("o direito não é um filho do céu", mas um produto da história, e, por isso, um objeto cultural, bem nos ensinou Tobias Barreto).

Agora só me resta explicar o prefalado juízo de que um único pressuposto responde pelas três comentadas dimensões do escritor que traz à ribalta este livro de forma e conteúdo *tão feitos um para o outro* quanto de merecimento exponencial. É o pressuposto da cidadania enquanto qualidade mesma do cidadão — lógico —, mas cidadão naquele sentido grego de identidade orgânica com a cidade-Estado onde se vive, geográfica e politicamente, dela retirando o próprio sustento pessoal e familiar. Noutros termos, cidadão que vive com entusiástico engajamento o dia a dia de sua pólis, entendida esta como o espaço das relações primárias entre governantes e governados. Logo, cidadão como pessoa que sai de sua estrita individualidade para se integrar ao todo social e nele viver em saudável e natural comunhão. Por isso que Merval Pereira, cidadão *full time* e conscientemente postado no píncaro da devoção à causa pública, entregou-se à corajosa missão de escrever os artigos aqui reunidos, na presciência de que o julgamento da ação penal 470 sinalizava uma virada cultural de página em nosso país ("transformação é uma porta que se abre por dentro", sentenciou *irrecorrivelmente* William Shakespeare). Apontava para o surgimento de uma quadra histórica mais fortemente veiculadora da ideia-força de que há um modo argentário de fazer coalizões ou alianças político-partidárias que o direito brasileiro e seus mais isentos intérpretes não mais toleram e até excomungam. E que já não dá para prosseguir na cultura da impunidade, que a tanto se opõe o princípio tão jurídico quanto civilizado de que a lei é para todos; ou seja, princípio de que ninguém, republicanamente ninguém, está acima do bem e do mal. Principalmente se o caso é daqueles que põem sob acentuado risco o princípio igualmente republicano da substancial possibilidade de renovação dos detentores de mandato eletivo, a partir das chefias do Poder Executivo.

Brasília, 10 de dezembro de 2012

CARLOS AYRES BRITTO, poeta, jurista e ministro aposentado do Supremo Tribunal Federal, é membro da Academia Brasileira de Letras Jurídicas.

[Quinta-feira, 2/8/2012]

Dúvida saudável

Sete anos depois que os fatos foram denunciados e cinco depois de o processo ter começado, tem início hoje no Supremo Tribunal Federal (STF) o julgamento da Ação Penal 470, conhecida popularmente como mensalão. Isso, por si só, é de importância crucial para o fortalecimento da democracia brasileira.

Num país em que, de maneira geral, políticos não vão sequer a julgamento, 38 réus ligados direta ou indiretamente ao governo que está no poder serão julgados pela última instância do Poder Judiciário.

Há outro detalhe fundamental no julgamento de hoje: a cidadania festeja o fato de que ninguém sabe o resultado que sairá da cabeça dos juízes, e a constatação, corriqueira em um país com as instituições democráticas amadurecidas, é significativa no Brasil e na América Latina de nossos dias.

Uma corte formada por nada menos do que oito dos onze titulares nomeados por um mesmo partido político que continua no poder — seis por Lula e dois por Dilma — vai a um julgamento dessa importância sem que o resultado esteja previamente definido pela submissão política de seus membros.

Esta é uma demonstração definitiva de que não somos como outros países da América Latina cujos governantes, através de manobras políticas ou administrativas, conseguem controlar o Judiciário, colocando-o sob o domínio do Executivo. Com o detalhe de que o PT, que está no poder até pelo menos 2014, perfazendo doze anos de presidência, é o mesmo que está sendo julgado pelo Supremo.

Pode-se especular sobre a tendência deste ou daquele ministro que deu margem a que se infiram suas decisões, como o ministro revisor Ricardo Lewandowski, que disse que seu voto será "um contraponto" ao do relator, Joaquim Barbosa. Este mostrou-se surpreso, alegando que ninguém conhecia seu voto. Mas é possível deduzir que, assim como encaminhou relatório no sentido de que havia indícios para que os réus fossem investigados, Barbosa tenderá para a condenação.

Sobre o voto do ministro Dias Toffoli, tem-se boa probabilidade de acertar, se ele, como tudo indica, não se considerar impedido de atuar. Sua longa convivência com os petistas, para quem trabalhou fora e dentro do governo, se não o impede de julgar o mensalão, dá pista sobre seu posicionamento. Ainda mais sabendo que Lula o pressiona para que atue.

Os demais são incógnitas, até mesmo o ministro Gilmar Mendes, alvo de ataques dos governistas e do assédio de Lula, que o procurou para tentar cooptá-lo para a tese de adiamento do julgamento para depois das eleições. A denúncia de Gilmar de que teria sido ameaçado por Lula provocou uma disputa política que dominou o noticiário por dias e pode ter deixado sequelas irreparáveis. [Nota do Editor: o autor se refere ao episódio ocorrido no escritório do ex-ministro Nelson Jobim, em Brasília; segundo Mendes, Lula o pressionou a adiar o julgamento com uma linguagem próxima da chantagem.]

Diz-se que o principal dos réus, o ex-ministro José Dirceu, lamentou os ataques a Mendes por parte do PT, alegando que o ministro tinha histórico de votação na linha legalista, que leva em consideração mais as questões técnicas. Desse ponto de vista, Mendes não seria voto certo para a condenação.

O Supremo, diz-se, não é um colegiado, e cada ministro vota de acordo com seu pensamento individual. Mas há tendências e certos alinhamentos de posição. Neste julgamento histórico, cada ministro, em sua "ilha decisória", estará pensando no futuro da instituição e na responsabilidade que tem de manter sua credibilidade.

O resultado do julgamento pode significar o começo do fim de uma política partidária corrompida há muitos anos. O PT não inventou a corrupção, mas elevou-a a um grau de sofisticação tal que colocou em risco a democracia quando transformou o esquema criminoso em política de governo. Outros mensalões, como o do DEM de Brasília ou o do PSDB mineiro, devem entrar na fila do julgamento. [N. do Editor: posteriormente também conhecidos como "mensalões", referem-se a esquemas de corrupção ocorridos, respectivamente, em 2009 e 1998; o primeiro resultou na cassação do governador do Distrito Federal José Roberto Arruda, expulso do DEM, e o segundo envolve o ex-governador de Minas Gerais e ex-senador Eduardo Azeredo, do PSDB.] E o Supremo tem nas mãos o instrumento perfeito para reformar os (maus) costumes da política brasileira.

[Sexta-feira, 3/8/2012]

Quem é quem

A postura do ministro Ricardo Lewandowski no começo do julgamento do mensalão mostra bem a disposição dele de se fazer um contraponto ao relator do processo, ministro Joaquim Barbosa.

O papel de revisor não é o de contestar o relator, o que pode acontecer pontualmente, mas Lewandowski entrou no julgamento com a decisão de marcar sua posição a favor dos réus, sem que se saiba ainda se defenderá a absolvição generalizada ou se atuará em favor de penas brandas, admitindo que houve crime no episódio.

O protagonismo de Lewandowski serviu também para retirar o foco do ministro Dias Toffoli, que se mostrou à vontade para participar do julgamento. A proposta de desmembramento do processo, levantada novamente pelo advogado de defesa Márcio Thomaz Bastos, não precisaria ser analisada tão detalhadamente quanto o fez Lewandowski se não estivesse querendo marcar o terreno da defesa, respaldando uma tese que já havia sido rejeitada nada menos que três vezes pelo Supremo.

Foi o que irritou o ministro Joaquim Barbosa, que sentiu na atitude do revisor uma "deslealdade", pois, nos dois anos em que atuaram juntos, não foi avisado de que Lewandowski respaldaria um pedido da defesa para "ressuscitar" um assunto que já estava superado pelo plenário do Supremo.

O próprio Joaquim Barbosa deixou claro que, embora tivesse uma posição anterior igual à de Lewandowski, pelo desdobramento do processo, acatou a decisão da maioria e aceitou sua integralidade, não sendo razoável voltar ao tema pela quarta vez, logo no primeiro dia do julgamento.

O fato de ter lido um longo voto, que levou três horas, mesmo depois de o presidente Ayres Britto ter pedido que fosse breve, pois se tratava apenas de uma questão de ordem, mostra que ele, da mesma maneira que se comportou ao liberar sua revisão fora do prazo, não se importa em retardar o processo desde que garanta a publicidade de sua posição. Seria leviano afirmar que Lewandowski se debruçou sobre o tema tão demoradamente dentro de estratégia de inviabilizar o calendário elaborado pelo STF, que permitiria que o ministro Cezar Peluso votasse antes de sua aposentadoria, em 3 de setembro.

Essa é certamente uma estratégia da defesa, e não foi outra a intenção de Thomaz Bastos ao pedir de novo o desmembramento do processo, embora a razão oficial seja de motivação técnica. Na base da defesa do desmembramento está a tentativa de descaracterizar a conexão entre os diversos crimes, esvaziando a tese da Procuradoria-Geral da República de que houve formação de uma quadrilha para executar crimes contra o Estado brasileiro. À medida que cada um dos 38 réus fosse julgado isoladamente, ficaria mais fácil manobrar as diversas instâncias de recursos processuais.

O ministro Gilmar Mendes foi direto ao ponto, lembrando que, se os processos fossem encaminhados isoladamente para a primeira instância judicial, quase certamente não teriam chegado a julgamento, e os crimes prescreveriam.

Também o ministro Peluso, lembrando uma reportagem do "Jornal das 10", da *Globo News*, disse que um juiz que pegasse o processo pela primeira vez teria grandes dificuldades para colocá-lo em julgamento em curto prazo, pois suas muitas mil páginas não permitiriam que se inteirasse do assunto em pouco tempo, mesmo que fosse leitor tão rápido quanto um locutor de corrida de cavalos. Tudo isso para demonstrar que a retomada da questão do desmembramento só levaria a um retardamento do processo.

A ministra Rosa Weber foi muito feliz ao dizer que os ministros estavam ali para levar adiante o processo, e não para assumir posições que signifiquem um retrocesso. O cronograma inicial organizado pela presidência do Supremo já está prejudicado e, dependendo da leitura do voto do revisor, que tem mais de mil páginas de contraposições ao do relator, poderá ficar ainda mais complicado.

A grande discussão será, então, sobre a possibilidade de o ministro Cezar Peluso antecipar seu voto, fazendo-o logo depois dos votos do relator Joaquim Barbosa e do revisor Ricardo Lewandowski.

É previsível que advogados questionem essa antecipação, pois Peluso não ouvirá o voto de vários de seus pares e não poderá mudar sua posição depois de aposentado; os demais ministros podem fazê-lo até o fim do julgamento. Ficou claro que há na maioria dos ministros do Supremo uma decisão de levar o julgamento adiante, independentemente da posição pessoal de cada um. Voltar atrás, a esta altura, seria uma desmoralização para a instituição.

[Sábado, 4/8/2012]

Recordar é viver

O feitiço acabou virando contra o feiticeiro. Se a polêmica sobre o desmembramento do caso do mensalão na Justiça, levantada pelo advogado Márcio Thomaz Bastos, tinha a intenção imediata de implodir o julgamento no Supremo Tribunal Federal e, como efeito colateral, atrasar o processo a ponto de impedir que o ministro Cezar Peluso possa votar antes de se aposentar, o efeito foi outro.

O procurador-geral da República, Roberto Gurgel, ficou sozinho no palco, e sua acusação dominará o noticiário durante todo o fim de semana. A defesa, que dividiria com ele esse segundo dia de julgamento, só será protagonista dos trabalhos a partir de segunda-feira.

Nesse intervalo, ficará única para a discussão da opinião pública a peça acusatória de Gurgel, que fez relembrar os detalhes daqueles dias de crise política de 2005, quando a todo momento surgia um fato novo para estarrecer a cidadania. Diante da profusão de provas e evidências desfiadas por Gurgel, fica muito difícil sustentar que o mensalão foi uma farsa, que nunca existiu. Essa tese passou a ser mais facilmente disseminada nos anos seguintes à crise, quando o ex-presidente Lula se recuperou do golpe e passou a fazer um governo muito popular, o que permitiu que mudasse de posição sem que lhe fosse cobrada mais rigorosamente essa incoerência.

Daquele homem arrasado que pensou em renunciar ao mandato no fundo de uma depressão, e que pediu perdão aos brasileiros, dizendo-se traído, ao líder arrogante que passou a defender todos os envolvidos e disse que se encarregaria de demonstrar "a farsa" do mensalão, que teria por objetivo derrubá-lo do poder, vai uma distância muito grande que nada justifica, a não ser a decantada capacidade do brasileiro de, a cada quinze anos, esquecer os últimos quinze, segundo Ivan Lessa, ou, mais pessimista ainda, Millôr Fernandes, que dizia que a cada quinze minutos o brasileiro esquece os últimos quinze. Pois a acusação de Gurgel teve a virtude de relembrar as "tenebrosas transações" ocorridas naquele período. Desde os carros-fortes que carregavam a dinheirama dos mensaleiros até a lavagem do dinheiro em diversas modalidades financeiras e os saques na boca do caixa, tudo se encadeia, perfeitamente provado em perícias e documentos.

Diante do exposto, inclusive das confissões feitas rigorosamente por todos os acusados, fica impossível alguém dizer que não houve movimentação ilegal de dinheiro entre o PT e seus aliados políticos, com a utilização de diversas manobras para mascarar as negociações.

A tese do mero caixa dois para pagamento de campanhas eleitorais fica fragilizada ante o sofisticado sistema de desvio de dinheiro público montado para irrigar cofres dos partidos com empréstimos fictícios e contas no exterior. E, mesmo que fosse verdade, o desvio de recursos públicos é crime que não se atenua com o objetivo final da aplicação do produto do roubo, mesmo que se tivesse feito doação a obra de caridade ou ao Fome-Zero, conforme salientou Gurgel.

A acusação encarou também os comentários de que não haveria provas nos autos para condenar o ex-ministro José

Dirceu, classificando-os de "risíveis". Para derrubar essa visão, Roberto Gurgel salientou que as provas testemunhais têm o mesmo valor das documentais e citou a teoria do "domínio final do fato", do jurista Heleno Fragoso, que define o autor do crime como aquele que pode decidir quanto à sua realização e consumação: "Nas palavras do mestre, seria autor não apenas quem realiza a conduta típica, objetiva e subjetivamente, e o autor mediato, mas também, por exemplo, o chefe da quadrilha que, sem realizar a ação típica, planeja e decide a atividade dos demais, pois é ele que tem, eventualmente em conjunto com outros, o domínio final da ação."

Para enfatizar que José Dirceu era realmente o "mentor, protagonista e idealizador" do esquema, Gurgel citou o testemunho de diversos políticos, líderes partidários e empresários que negociavam pessoalmente com ele "entre quatro paredes", algumas vezes até mesmo no Palácio do Planalto.

Roberto Gurgel chamou a atenção para o fato de que os chefes de quadrilha não mandam ordens por escrito, não combinam os golpes por telefone ou por e-mails. E, mesmo sem o chamado "ato de ofício", é possível definir a responsabilidade de José Dirceu no comando da quadrilha.

[Domingo, 5/8/2012]

O pós-mensalão

Não é possível saber de antemão qual o efeito do julgamento do mensalão no eleitorado nas eleições municipais deste ano, mas as consequências são temidas pelo PT e dão esperanças à oposição.

O Palácio do Planalto procura distanciar-se ao máximo do debate que o julgamento suscita, e a presidente Dilma Rousseff já disse a interlocutores que essa é uma dor que o partido tem de sofrer e superar.

Mas não é apenas a oposição que joga suas esperanças num revés petista nesse julgamento. Também alguns partidos aliados não envolvidos nas acusações veem no eventual desgaste petista uma possibilidade para assumir posições mais destacadas no governo federal.

O julgamento tem o potencial de definir as forças partidárias dentro e fora do PT, realinhando posições políticas e forjando um novo quadro de coalizões, seja qual for o resultado. Não é à toa que, volta e meia, pessoas ligadas ao PT tentam afastar para longe do partido a palavra mensalão, especialmente em um ano eleitoral.

A tentativa mais alardeada foi a do próprio ex-presidente Lula, que assediou ministros do Supremo Tribunal Federal para convencê-los a adiar o julgamento para depois das eleições. Tratou do tema diretamente com os ministros Dias

Toffoli e Ricardo Lewandowski, com os quais tem relações de amizade, e esbarrou na indignação do ministro Gilmar Mendes, a quem teria ameaçado com denúncias na CPI do Cachoeira para obter sua adesão à tese. [Nota do Editor: estabelecida como consequência do que apurou a Operação Monte Carlo da Polícia Federal, em fevereiro de 2012, e conhecida como CPI do Cachoeira, investigou as relações do contraventor Carlos Cachoeira com políticos do Centro-Oeste, tanto da base do governo quanto da oposição.] Mendes levou essa tentativa de intimidação ao presidente do Supremo, e confirmou a manobra de Lula para a imprensa.

O PT reclamou também de o STF usar o termo mensalão em seu noticiário sobre o julgamento, que passou a ser tratado oficialmente apenas como "ação penal 470". Outra tentativa foi a de um grupo de advogados ligados ao PT, que enviou à presidente do Tribunal Superior Eleitoral, ministra Cármen Lúcia, um pedido para que não permitisse que a questão fosse usada nos programas eleitorais dos partidos oposicionistas. Agora, há um movimento para pedir à Justiça que os meios de comunicação sejam impedidos de usar o termo mensalão em seu noticiário, obrigando-os a falar sempre da "ação penal 470" quando se referirem ao julgamento em curso.

Para a presidente Dilma, a condenação do grupo petista que comandou o mensalão significará reforço na sua capacidade de intermediação dentro do partido, hoje dependente do grupo majoritário Construindo um Novo Brasil, liderado por Dirceu. Naturalmente, esse grupo sairia enfraquecido na luta partidária, abrindo caminho para os petistas ligados à presidente, que hoje não têm influência decisiva no partido.

A condenação de Dirceu e sua turma levaria, ao mesmo tempo, à reorganização de forças partidárias dentro da base aliada. Partidos que pouco ou nada têm a ver com o mensalão, como o PSB e o PMDB, sairiam fortalecidos no pós-julgamento. O PMDB tem dois envolvidos, José Borba e Anderson Adauto, que permanecem no partido e são prefeitos de Jandaia do Sul (PR) e Uberaba (MG). No entanto, não há indícios de que a cúpula partidária estivesse envolvida, pois, na ocasião, apenas uma parte do partido estava no governo. Só depois da crise do mensalão é que o PMDB entrou oficialmente na base aliada. Já o PSB não tem nada a ver com as negociações do mensalão, com apenas uma participação indireta na regional do Pará, que teria recebido uma ajuda em dinheiro. O enfraquecimento do PT pode fazer com que os dois partidos assumam maiores responsabilidades na coalizão governamental.

Se, ao contrário do que esperam a oposição e mesmo alguns partidos aliados, petistas mais graduados forem absolvidos pelo STF, notadamente Dirceu, o PT será afetado em sua linha de ação, sendo previsível que o controle do partido fique explicitamente nas mãos do ex-ministro de Lula, que sairia das sombras para comandá-lo novamente. Nesse caso, Dirceu teria formidável reinserção na vida partidária, com condições de influir decisivamente nos rumos do governo Dilma, voltando a ser a maior liderança política petista na impossibilidade de Lula retomar suas atividades políticas.

Representaria também, provavelmente, a implosão da coalizão partidária que sustenta o governo nos moldes atuais.

[Terça-feira, 7/8/2012]

Acredite quem quiser

Ao final da defesa dos quatro mais importantes réus do mensalão, já é possível se ter uma ideia dos rumos que o julgamento vai tomar, embora continuemos, como de início, sem saber o resultado que sairá da cabeça dos onze juízes do Supremo Tribunal Federal.

Se o procurador-geral da República, Roberto Gurgel, ao fazer sua denúncia, teve carência de provas materiais, mas citou abundantes provas testemunhais, os advogados de defesa procuraram ontem desmontar sua bem contada história, enfatizando que a acusação utilizou-se de testemunhos dados antes da fase do contraditório.

Os advogados tentaram desqualificar assim as testemunhas de acusação e alegaram que o procurador-geral utilizou-se de depoimentos colhidos na CPI dos Correios, um cenário político onde as palavras ditas seriam mais tendenciosas. [Nota do Editor: instaurada em 2005 em decorrência de um vídeo que associava o PTB a um esquema de corrupção na estatal, a CPI dos Correios foi o estopim para que Roberto Jefferson, então presidente do partido, falasse pela primeira vez no esquema ao qual daria nome definitivo, "mensalão".] As provas testemunhais da defesa, no entanto, foram todas de petistas ou de pessoas envolvidas nas acusações, o que também não estabelece uma zona de credibilidade indiscutível.

Dois dos advogados, Arnaldo Malheiros Filho, de Delúbio Soares, e Marcelo Leonardo, de Marcos Valério, admitiram "atividades ilícitas" e "caixa dois eleitoral", ao contrário de José Luís Mendes de Oliveira Lima, o advogado de José Dirceu, que passou longe de admitir qualquer tipo de crime de seu cliente, mesmo o eleitoral.

Da defesa dos três que formaram, segundo a denúncia do Ministério Público Federal, o "núcleo político" do mensalão, tem-se a impressão de que o PT era um partido completamente acéfalo, que ninguém comandava e no qual todo mundo tinha uma atividade específica sem ligação com um objetivo final, nem político, muito menos criminoso.

Dirceu, segundo a narrativa de seu advogado, que contradiz a do próprio cliente em várias ocasiões, era um ministro influente, mas não interferia no PT — partido que ajudou a fundar e do qual fora presidente até pouco tempo antes de assumir o cargo no primeiro governo Lula — e não indicava pessoas para cargos na administração. Estaria longe, portanto, de ter o "domínio final do fato", o que o caracteriza, segundo a acusação, como "chefe da quadrilha".

Genoino, presidente do PT, segundo seu advogado só fazia acordos políticos e não tinha a menor ideia sobre questões financeiras. Mas o advogado esqueceu-se de falar que seu cliente assinou os empréstimos bancários com o BMG e o Rural — que, de acordo com a denúncia, foram simulados para justificar o desvio de recursos públicos —, o que demonstra que, sem sua assinatura, não poderiam ser tomados pelo tesoureiro Delúbio Soares. Logo, Genoino deveria saber que empréstimos eram. Ele os negou até que a assinatura apareceu, e alegou que assinara sem ler.

E Delúbio bolou essa estratégia com o auxílio de Marcos Valério, por uma amizade repentina que os uniu logo depois que o deputado mineiro Virgilio Guimarães os apresentou, em 2003, sem que ninguém, no PT ou no Palácio do Planalto, tivesse autorizado.

O detalhe de que Valério aplicara sua expertise de desviar dinheiro público para campanhas eleitorais na eleição mineira de 1998, para tentar eleger o tucano Eduardo Azeredo governador de Minas, só faz aumentar os indícios de que essa aproximação tinha um objetivo espúrio, fato ressaltado pelo procurador-geral.

Mas, ao explicar por que Dirceu se encontrou com a direção do Banco Rural, em companhia de Valério, no período em que o banco fez um "empréstimo" ao partido, o advogado José Luís Mendes de Oliveira Lima alegou que receber empresários é função do ministro-chefe da Casa Civil. Os fatos de que o BMG ganhou exclusividade para explorar o crédito consignado logo que foi lançado e de que o Banco Rural negociava uma decisão do governo sobre o Banco Mercantil de Pernambuco seriam coincidências que nunca entraram nas conversações.

Marcelo Leonardo, advogado de Valério, foi o protagonista de um anticlímax revelador das dificuldades de sua defesa. Foi o mais enfático dos advogados, mesmo quando defendia causas de antemão perdidas, e pediu a absolvição de todos os nove crimes de que seu cliente é acusado. Mas, ao final, piscou. Disse que se, "por absurdo", Marcos Valério for condenado, que o Supremo lhe dê penas leves.

Não devemos ter grandes novidades nas demais defesas, e os ministros do Supremo terão mesmo de se guiar por suas convicções pessoais: há sete anos existe uma narrativa coerente sobre um esquema criminoso montado de dentro do Palácio do Planalto para comprar a adesão política ao governo; existe também uma tentativa de transformar essa ação em crime eleitoral, banalizado na vida política brasileira. Acredite quem quiser.

[Quarta-feira, 8/8/2012]

Sua Excelência

O deputado Ulysses Guimarães ensinou que o que predomina na política é "sua excelência, o fato". Se voltarmos à época em que foram revelados os fatos que hoje sustentam o processo do mensalão, que os petistas gostariam que fosse identificado burocraticamente como Ação Penal 470, veremos que praticamente todos os que hoje estão sendo discutidos no julgamento foram relatados já naquela ocasião, tendo sido confirmados pelas investigações.

Uma das novidades surgidas no depoimento do então ainda deputado federal José Dirceu ao Conselho de Ética da Câmara foi a acusação de Roberto Jefferson de que, quando chefe da Casa Civil, Dirceu negociara com a Portugal Telecom uma contribuição para o PT e o PTB acertarem suas contas.

Mais adiante, houve a confirmação de que Marcos Valério viajara a Portugal com o ex-tesoureiro do PTB Emerson Palmieri, tendo sido recebido por um ministro de Estado a pedido do presidente da Portugal Telecom, com um agravante: tanto o ministro português quanto o presidente da empresa eram ex-executivos do braço financeiro do grupo Espírito Santo, para cujo banco, em Lisboa, Marcos Valério tentara transferir as reservas cambiais no exterior do Instituto de Resseguros do Brasil, cuja presidência era da cota do PTB.

A existência da figura de Marcos Valério no centro da trama fora anunciada pelo próprio Jefferson em uma de suas declarações bombásticas à CPI dos Correios. Ele disse certa vez que havia "um carequinha" que era o mandachuva dentro do PT. Todos os detalhes contados pela sua secretária Karina Somaggio estavam sendo confirmados, até mesmo as malas recheadas de dinheiro.

O deputado Valdemar Costa Neto renunciou atingido duplamente: pelas acusações de Jefferson e pela sinceridade maliciosamente ingênua de sua ex-mulher Maria Christina Mendes Caldeira, que vira malas de dinheiro passando de mão em mão.

Era ressaltado, naquela época, que todos os deputados petistas que apareciam nas listas de saque do Banco Rural, ou seus assessores, começavam alegando que se tratava de um homônimo, ou apontavam motivos triviais como pagar a conta da TV a cabo, para, afinal, quando já não havia mais como mentir, assumir os saques, sob a alegação geral de que o dinheiro representava o caixa dois de campanha eleitoral.

Os jornais da época registravam a circulação permanente no Palácio do Planalto do tesoureiro do PT, Delúbio Soares, e do secretário do partido, Silvio Pereira — o homem que andava com uma lista de nomes para indicações aos diversos escalões da República e que ganhou um Land Rover da empresa GDK, que operava com a Petrobras. O ex-secretário-geral petista fez um acordo na Justiça para não entrar no julgamento e está prestando serviços à comunidade.

Foi ele quem apresentou uma ex-mulher do então ministro todo-poderoso José Dirceu a Marcos Valério, confidenciando-lhe que o sonho dela era morar num apartamento maior. Como para arranjar um empréstimo que viabilizasse a mudança Maria Ângela Saragoça precisava também de um emprego melhor, Valério lhe conseguiu não apenas uma colocação no BMG como um financiamento no Banco Rural.

O lobista Marcos Valério e o ex-tesoureiro do PT Delúbio Soares só anunciaram os tais "empréstimos" dos bancos Rural e BMG para justificar o dinheiro do *valerioduto* depois que o esquema começou a ser denunciado. Documentos do contador, alguns encontrados no lixo, e o Imposto de Renda da agência SMP&B, que teve de ser retificado diversas vezes, desmentem a versão de que os empréstimos eram reais. Todas as alterações nas declarações de renda foram feitas depois de a CPI dos Correios instalada. E Valério foi preso certa ocasião tentando queimar documentos.

O cruzamento entre os recebedores do dinheiro, as datas sucessivas de pagamento, votações importantes e trocas de partido mostram uma correlação entre esses fatos. A alegação de que quanto mais dinheiro entrava menos apoio o governo recebia dos aliados só faz confirmar a tese de que era preciso financiar esses partidos para ter suas lealdades.

Como dizia Nelson Rodrigues: "Deus está nas coincidências."

[Quinta-feira, 9/8/2012]

Sem credibilidade

Depois dos vários advogados que desfilaram em frente aos ministros do Supremo nestes primeiros dias de atuação da defesa, fica cada vez mais claro que é difícil tanto negar quanto minimizar o esquema de corrupção organizado pelo PT, transformando-o em simples caixa dois de campanha eleitoral.

A cada relato montado para descaracterizar a prática de crimes de seus representados, os advogados vão criando cenários tão fictícios que se torna quase impossível crer nesse desfile de homens e mulheres impolutos, políticos só interessados no bem público, heróis da resistência democrática sonhando com um Brasil melhor, empresários seríssimos, por razão insondável envolvidos em uma trama palaciana que simplesmente não existiu. Os personagens descritos pelos advogados não combinam com encontros secretos em quartos de hotel, carros-fortes cruzando Brasília com dinheiro de fonte ilícita, e saques na boca do caixa a mando de um empresário, Marcos Valério, que dava as cartas na política nacional sem ser dirigente partidário, membro do governo ou político eleito.

Publicitário já famoso e premiado, segundo seu advogado, Valério ganhou as licitações por mérito próprio. Difícil acreditar quando sabemos que ele, nem tão respeitado assim no meio, especializou-se em desviar dinheiro público para financiar campanhas políticas, e que fazia negociatas dentro do governo que nada tinham a ver com sua função. Não é razoável, convenhamos, que todo esse esquema tenha sido montado por um homem de fora do sistema de comando petista e por um tesoureiro que não tinha o menor poder político.

O grande problema da história contada pela defesa é que, se José Dirceu não tinha nada a ver com o esquema de financiamento da base aliada, a linha de comando sobe para Lula, o então presidente da República, como alguns ministros já comentaram reservadamente. O que possibilitou a não inclusão de Lula no processo foi haver a figura do autor, aquele que tem o domínio final do fato, na pele do superministro de então, José Dirceu.

Sua onipresença na articulação da política governista é que torna factível a narrativa do procurador-geral da República e fragiliza a imagem menor que dele quis fazer sua defesa. O advogado de Dirceu, que fez a defesa possível com muita competência, tentou reduzir sua importância em relação ao PT, o que é impensável quando se sabe que, mesmo após sair do governo e ser cassado, continuou a dar as cartas no partido, como continua até hoje.

De outro lado, nos núcleos operacional e financeiro, temos apenas funcionárias "mequetrefes", sócios que nada sabiam do que se passava em suas empresas, uma banqueira que queria ser bailarina e foi "obrigada" por seu pai a assumir funções burocráticas no banco, para as quais não tinha pendor, um diretor da área de *compliance* que nada entende de finanças, e um morto responsabilizado por todas as operações que porventura considerarem ilegítimas.

Já a insistência com que os defensores políticos dos mensaleiros falam no mensalão do PSDB de Minas, exigindo o julgamento de seus responsáveis para que seja feita justiça imparcial, coloca-os num paradoxo de difícil superação. Como os casos são idênticos, organizados pelo mesmo operador, o mineiro Marcos Valério, o que acontecer no julgamento do mensalão petista terá repercussão evidente no outro.

Portanto, se os mensaleiros, por hipótese, forem absolvidos agora pelo Supremo Tribunal Federal, também os tucanos terão, provavelmente, o mesmo veredicto. Se, ao contrário, Dirceu e os demais envolvidos no esquema ora em exame forem condenados, o mesmo tratamento deverá ser dado ao atual deputado federal Eduardo Azeredo e aos demais envolvidos no esquema utilizado em 1998 na eleição para governador de Minas. Não dá para culpar os tucanos de graves crimes e inocentar a turma do PT, que bebeu na mesma fonte e ampliou a abrangência do golpe no dinheiro público, levando para o plano nacional o que era um arranjo local.

O fato de o esquema mineiro ter sido considerado o laboratório de onde saiu a expertise para a montagem do mensalão nacional, como frisou o procurador-geral da República, Roberto Gurgel, em sua acusação, só faz aumentar o convencimento de que o surgimento do "carequinha" no centro das decisões em Brasília se deve à "transferência de tecnologia" que trouxe consigo.

[Sexta-feira, 10/8/2012]

Juízes perguntam

Uma novidade importante está sendo registrada neste julgamento do mensalão: juízes questionando diretamente os advogados, o que não é comum no Brasil. O relator, ministro Joaquim Barbosa, fez perguntas ontem a Marthius Sávio Cavalcante Lobato, defensor do ex-diretor do Banco do Brasil Henrique Pizzolato, e o ministro Dias Toffoli havia feito o mesmo anteontem a Maurício de Oliveira Campos Júnior, que defende o dirigente do Banco Rural Vinícius Samarane.

Isso não é comum, embora seja permitido pelo regimento interno do STF, mas também este não é um caso típico. Diego Werneck Arguelhes, professor da Escola de Direito da Fundação Getulio Vargas/Rio e especialista no sistema judiciário americano, considera que, neste julgamento, há a certeza de que os ministros já leram e estudaram tudo várias vezes, pois o material completo estava digitalizado, e de que tiveram acesso a todas as peças muito tempo antes. Por isso, as perguntas podem ser importantes para esclarecer pontos específicos dos autos. Não é comum, mas é uma prática muito boa — diz.

Na Suprema Corte dos Estados Unidos, ao contrário, essa é a praxe. O advogado até prepara a sustentação oral, mas mal consegue falar, logo crivado de perguntas. Interessante, explica Arguelhes, é que lá se discutem questões de Direito, avalia-se a implicação do argumento e qual é seu precedente. No caso do mensalão, porém, não se está fazendo debate de teses jurídicas. Os ministros querem, ao questionar, esclarecer pontos factuais, o que é fundamental em processo tão complexo, com tantos elementos, tantas peças para encaixar. É muito bom que o ministro interrogue para esclarecer dúvidas — afirma.

Joaquim Barbosa queria saber exatamente do que Pizzolato tinha ou não participado, quem autorizava os repasses. Ao que tudo indica, as respostas do advogado foram benéficas para o réu, mas é difícil saber até onde Joaquim Barbosa quis chegar, porque não sabemos tudo o que está nos autos.

O relator do caso insistiu muito na participação de Pizzolato na liberação de dinheiro para a agência de Marcos Valério, já que a acusação diz que parte do dinheiro público veio de acordo do Visanet com o Banco do Brasil. Ao mesmo tempo, o comentário do advogado Cavalcante Lobato de que Pizzolato não sabia que, em pacote que Valério lhe dera, havia R$ 326.660 foi simplesmente ridículo.

Diego Arguelhes comenta que essa talvez seja uma falha do nosso sistema. "Os ministros poderiam ser mais proativos quando é dito algo que contraria o bom senso." Mas admite que esse talvez seja um tipo de pergunta que pode sinalizar um pouco mais de agressividade por parte dos juízes, justamente por ser uma prática inédita. "Fica um pouco interrogador, mas a gente caminha para um momento em que essa pergunta poderia ser feita. Certamente seria feita nos Estados Unidos", comenta.

Aqui, a falta dessa tradição de os ministros interrogarem tem várias explicações, mas, em primeiro lugar, está o respeito à figura do advogado e, portanto, a valorização do momento da sustentação oral como algo importante na tarefa do defensor. Interrompê-lo pode ser gesto associado de algum modo ao menosprezo. Arguelhes lembra que temos a tradição das grandes intervenções orais dos advogados brasileiros, com destaque para as de Rui Barbosa, que enchiam o Supremo no início do século. Mas hoje, ressalta, com a evolução tecnológica, a fala do advogado não é mais novidade para os juízes, pelo menos num caso como este.

Seria difícil dizer que de maneira geral todos os juízes já chegam com os casos estudados, pois isso não acontece normalmente — registra Diego Arguelhes. Mas, nos casos importantes, especialmente no Supremo, isso é verdade. Para ele, nos Estados Unidos há uma cultura mais adversarial no processo judicial. A própria relação entre as partes é diferente. Há coisas que não acontecem no Brasil — registra. Lá, um advogado pode atacar diretamente sua testemunha. Já no Brasil, tudo é mediado pelo juiz. "Talvez a ideia de o juiz interpelar o advogado indique uma perda de neutralidade; talvez o medo tradicional seja esse."

O caso do mensalão, contudo, mostra que esse processo não se dá necessariamente assim. A pergunta de Joaquim Barbosa, por exemplo, pode ter sido importante para Pizzolato.

[Domingo, 12.8.2012]

Lavagem de dinheiro

O julgamento do mensalão traz com ele uma discussão sobre a legislação brasileira de lavagem de dinheiro que, dependendo do resultado, pode definir uma jurisprudência importante para o combate à corrupção no país. O Supremo quase não julgou casos desse tipo.

Pela lei atual, mais rigorosa que a anterior, mas que não pode ser usada contra os réus, pois posterior aos atos praticados, qualquer dinheiro ilícito está enquadrado no crime de lavagem de dinheiro. Nesse caso, até mesmo o caixa dois, alegado pelos réus como explicação para a farta distribuição de dinheiro ocorrida, está enquadrado, mesmo sendo crime eleitoral, que não é punido com prisão.

A lei à época dos delitos elenca os diversos casos em que se pode caracterizar lavagem de dinheiro, entre os quais peculato, desvio de dinheiro público. Há também discussão em torno do "crime antecedente", visto pela legislação como imprescindível para a prática do delito de lavagem de dinheiro.

Os réus, em ação claramente coordenada, tentam demonstrar que não houve desvio do dinheiro público, e que seria o "crime antecedente" necessário para caracterizar lavagem de dinheiro. Para tanto, querem fazer crer que os empréstimos dos bancos Rural e BMG foram verdadeiros, ao contrário do que acusa a Procuradoria-Geral da República, segundo a qual, fictícios, foram criados para justificar a dinheirama que o publicitário Marcos Valério e a direção do PT distribuíram pelos partidos.

Como era de se esperar, a intervenção do ministro Joaquim Barbosa no julgamento do mensalão, interpelando o defensor do ex-diretor do Banco do Brasil Henrique Pizzolato, provocou reações negativas entre os advogados dos réus, que as consideraram "muito agressivas".

Como foram transmitidas ao vivo, fica claro que não houve agressividade nas perguntas do relator, apenas colocações que deixaram à vista as contradições da versão do réu. As respostas aparentemente firmes do advogado Marthius Sávio Cavalcante Lobato são desmentidas pelo que há nos autos.

O assunto é importante porque o uso de dinheiro público no esquema de corrupção montado pelo PT é fundamental na acusação do procurador-geral da República. A origem dos recursos do Fundo Visanet destinados à agência DNA, de Valério e, depois, repassados para políticos ligados ao governo, foi um dos pontos questionados por Joaquim Barbosa. O advogado de Pizzolato tentou dizer que se tratava de dinheiro exclusivamente privado, proveniente do uso de cartões Visa pelos clientes.

No entanto, laudo da Polícia Federal deixa a situação mais clara: os recursos destinados ao Fundo de Incentivo Visanet eram compartilhados pelos "incentivadores", segundo participação acionária de cada um na empresa. Isso quer dizer que o BB, com cerca de 30% da sociedade, tinha direito a esse percentual, e o montante desviado para as agências de Valério tinha, portanto, pelo menos em parte, dinheiro público.

A DNA tinha contrato diretamente com o BB, e não com o Visanet, o que deixa mais clara a relação do banco oficial com o publicitário, cuja expertise era desviar dinheiro de contratos de publicidade de órgãos governamentais para fins políticos.

Até mesmo a tentativa do advogado de dizer que seu cliente não detinha autonomia para autorizar sozinho repasses do Visanet à DNA mostrou-se frágil. Na ocasião, o colegiado que, segundo o advogado, autorizava os repasses era formado por seis gerentes de marketing do BB, cujo diretor era o próprio Pizzolato.

Na defesa de alguns dos réus, Valério inverteu a sistemática de lavagem de dinheiro; pegou um empréstimo lícito, com base em uma promessa de que esse dinheiro seria pago com favores do governo. Isso livraria alguns dos réus da responsabilidade de ter "lavado" dinheiro sujo. O dinheiro chegou "lavado", disse o advogado do deputado João Paulo Cunha, numa estranha maneira de se defender.

Em 2007, quando a Procuradoria-Geral da República apresentou ao Supremo a denúncia do mensalão, ainda não havia elementos para acusar Delúbio Soares de lavagem de dinheiro. Mas agora o juiz Márcio Ferro Catapani, da 2ª Vara Criminal Federal em São Paulo, aceitou, em 6 de julho, a denúncia do Ministério Público em que o ex-tesoureiro petista é acusado de receber de duas agências de Valério — a SMP&B e a DNA — R$ 450 mil, oriundos de atividades ilegais, de um esquema do Banco Rural.

Também nesse processo os empréstimos são tratados como fraudes para justificar o dinheiro ilícito.

[Terça-feira, 14/8/2012]

A interpretação dos fatos

A sequência de defensores dos réus do mensalão tenta provocar nos ministros do Supremo Tribunal Federal a estranha sensação de que todos os homens puros desta República estão sendo injustamente acusados pelo procurador-geral da República, Roberto Gurgel, que, além de injusto, é um trapalhão, pois montou uma tese cheia de furos e remendos, que não se sustenta.

E não se diga que todos combinaram entre si, pois aqui e ali há insinuações de uns contra os outros, cada um querendo salvar a própria pele. Mas, ontem, houve um advogado que se portou de maneira diferente, provavelmente porque conhece bem aquele tribunal. Inocêncio Mártires Coelho, procurador-geral da República no governo Figueiredo, representando o ex-deputado José Borba, propôs-se simplesmente a pôr uma dúvida na cabeça dos ministros do STF: "Se conseguirmos abalar a convicção desses julgadores, certamente estaremos servindo à causa da justiça e do Estado de Direito. Não há lugar para soberanos e nem para tiranos, assim como no amplo discurso do debate de nada valem os argumentos de autoridade."

Mas ele não apresentou qualquer dado novo para abalar convicções, apenas tratou de ressaltar a impossibilidade de um juiz ser imparcial: "(...) Parece mais cauteloso, até para reduzir os efeitos perversos, aceitar que todo julgador é parcial. Parcial porque só vê as coisas das perspectivas em que ele se encontrar, no pedaço de realidade que recorta. Porque tem ampla liberdade para escolher as normas aplicáveis ao caso e mais liberdade ainda para valorar os fatos da causa." E mesmo os fatos, segundo Nietzsche, lembrou, não existem, mas, sim, a interpretação dos fatos. Segundo ele, "por mais que se esforce para ser objetivo, o juiz estará sempre condicionado pelas circunstâncias em que atua".

Mártires Coelho foi mais longe na tentativa de retirar do inquérito todo resquício de consistência: "Por mais cuidadoso que seja, (qualquer inquérito) é sempre uma peça de ficção e como tal deve ser tratado. Não é a realidade mesma, é apenas uma narrativa, em que há muitas outras possíveis, mas igualmente falíveis, sobre fatos que ocorreram fora dos autos, mas que não equivalem à realidade."

Citou dito muito usado no mundo jurídico, "o que não está nos autos não está na vida", para contradizê-lo: nem sempre a vida está nos autos, o que seria um limitador para a decisão dos juízes. E, usando "o intuitivo Lucio Bittencourt", disse que "a interpretação deveria ser considerada a última fase do processo legislativo".

O julgamento, uma grande oportunidade de estabelecer marcos de valores, morais, éticos, políticos, para a vida nacional, como diz a corregedora do Conselho Nacional de Justiça, terá de ser decidido por interpretações dos juízes diante de um borbotão de fatos que, conectados, resumem o estado indigente de nossa vida política. Os advogados tratam o caixa dois de campanhas eleitorais como "conduta corriqueira, socialmente consentida", lamenta Eliana Calmon, para quem o escândalo "soa como corrupção".

A tese do "domínio final do fato", que levou o procurador-geral a acusar o ex-ministro José Dirceu de "chefe da quadrilha", serviu também para que o advogado de Roberto Jefferson, Luiz Francisco Barbosa, acusasse o ex-presidente Lula como o verdadeiro mandante dos crimes. "Não só sabia como ordenou o desencadeamento de tudo isso que essa ação penal escrutina. Aqueles ministros eram apenas executivos dele." Para provar sua tese, fez relato ligando fatos e consequências, apelando para o bom senso dos juízes, pois não tem "atos de ofício" que provem sua acusação. E acusou Gurgel de prevaricação por ter "sentado em cima" de um pedido formal para incluir Lula entre os réus do mensalão.

A sequência, segundo Luiz Francisco Barbosa, foi esta: dirigentes do BMG pediram audiência com Lula, que dias depois emitiu medida provisória permitindo a bancos em geral entrar no mercado de crédito consignado. Um advogado interpretou, todavia, que só podiam oferecer crédito consignado os bancos que já operavam nessa área. Os dirigentes foram novamente a Lula, que emitiu decreto reiterando a permissão pela qual o BMG entrou nesse mercado.

E em seguida o PT obteve empréstimos do BMG e do Banco Rural. "É evidente o entrelaçamento entre esses fatos", afirmou.

[Quarta-feira, 15/8/2012]

Fatos novos

A representação do procurador-regional da República Manoel do Socorro Tavares Pastana contra o ex-presidente Lula, imputando-lhe crime de responsabilidade por uma suposta atuação beneficiando o banco BMG no crédito consignado a aposentados e pensionistas do INSS, tem inconsistências de datas que dificilmente permitirão ao juiz Paulo Cezar Lopes, da 13ª Vara Federal, receber a denúncia.

A ação de improbidade administrativa contra o ex-presidente e o ex-ministro da Previdência Amir Lando tem sentido apenas se a acusação for de utilização da máquina pública "para realizar promoção pessoal".

A segunda parte, que se refere a "favorecer o Banco BMG", é bastante fraca, já que, na época em que as mais de dez milhões de cartas foram enviadas aos segurados do INSS incentivando-os a tomar créditos consignados, vários bancos operavam no setor e não apenas o BMG. Tanto que a procuradora da República no Distrito Federal Luciana Loureiro, que propôs a ação, admite que não reuniu provas que atestassem "categoricamente" o vínculo entre o suposto auxílio ao BMG e o mensalão.

Mas a ação tem também indícios claros de que o BMG foi beneficiado pela burocracia federal, o que pode indicar favorecimento em troca dos empréstimos — que a acusação diz serem fictícios — dados pelo banco mineiro ao PT e ao lobista Marcos Valério. O relatório de auditoria do TCU, de 29 de setembro de 2005, por exemplo, acusa o BMG de ter sido a instituição financeira cujo processo no INSS correu de forma mais célere. Teriam sido cinco dias entre a publicação do decreto que abria a exploração do crédito consignado para todas as instituições financeiras e sua manifestação de interesse, e outros oito dias para a celebração do convênio com o INSS, quando um processo desses leva, em média, dois meses.

Essa agilidade teria permitido, segundo a denúncia, que o BMG fosse a única instituição não pagadora de benefício previdenciário a atuar sozinha no mercado de empréstimos consignados a aposentados e pensionistas por quase dois meses.

Seja como for, Luiz Francisco Barbosa, o advogado de Roberto Jefferson, pôs uma situação nova diante dos ministros do STF ao insistir na inclusão do ex-presidente Lula como réu do mensalão, coisa que sabe não ser possível a esta altura do processo.

Diante da profusão de evidências de que foi montado grande esquema para desviar dinheiro ao PT e aos partidos aliados do governo, é preciso determinar quem tinha o comando da ação, o "domínio final do fato" na definição jurídica, pois, está evidente, esquema dessa magnitude não se organiza no improviso entre um tesoureiro petista e um publicitário, mesmo que fosse apenas uso de caixa dois eleitoral. Essa tese do caixa dois, aliás, está se tornando inútil diante da evidência de que correu pelo *valerioduto* muito dinheiro público.

A Procuradoria-Geral da República preferiu não atribuir ao ex-presidente Lula o comando final da ação, acusando o ex-ministro José Dirceu de ser o "chefe da quadrilha". Essa decisão estaria avalizada pelas reações do ex-presidente relatadas pelo próprio Roberto Jefferson.

O próprio Lula, ao pedir desculpas pelo PT ao povo e dizer-se "traído", corrobora com a versão de que não sabia o que estava acontecendo entre as quatro paredes do gabinete do "capitão do time", Dirceu. Nesse caso, teria de torcer para que o Supremo decida pela culpabilidade de Dirceu, para que a cadeia de comando pare por aí, sem o atingir. Seria um "pateta", na definição do advogado de Jefferson, mas não um "chefe de quadrilha".

Se os ministros do Supremo chegarem à conclusão de que houve realmente o mensalão, mas isentarem Dirceu da acusação de "chefe da quadrilha", o "controle final do fato" passaria ao próprio Lula, no fim da cadeia de comando, como quer a acusação do advogado de Roberto Jefferson.

Mas, se, ao contrário de suas primeiras reações, o ex-presidente seguir insistindo que o mensalão foi farsa montada pela oposição para atingi-lo, derrubando-o da Presidência, ficará em maus lençóis caso o STF decida que o mensalão existiu.

Sua única saída seria a maioria da corte absolver os réus, assumindo a tese de que não houve mensalão. Tese que, depois da sequência de apresentação das defesas, está muito fragilizada.

[Sexta-feira, 17/8/2012]

Supremo desentendimento

O ministro Ricardo Lewandowski, revisor do processo do mensalão, demonstrou grandeza de espírito ao aceitar mudar a estrutura de seu voto para se adequar à decisão do ministro-relator, Joaquim Barbosa, de dividir o seu por itens. Se os ministros do Supremo Tribunal Federal não chegassem a consenso sobre a forma de votação, o julgamento corria o risco de ser contestado pela defesa dos réus.

O advogado José Carlos Dias, ex-ministro da Justiça, já aventou ontem a possibilidade de o devido processo legal estar sendo violado caso a votação seja fatiada, como propôs o relator. O ministro revisor, Ricardo Lewandowski, leu o regimento interno e afirmou que, se a ordem definida nele não fosse seguida rigorosamente, o Supremo estaria decidindo de maneira irregular. Mas recuou de sua posição à noite.

O plenário do STF em certos momentos mais parecia uma Torre de Babel, pois muitas vezes ministros que defendiam posições semelhantes se desentenderam porque um não falava a língua do outro. Ou, o mais grave, defendiam posições divergentes e não se mostravam dispostos a encontrar uma solução que pudesse ser aceita por todos.

A primeira indagação a ser feita é por que os ministros não discutiram internamente o procedimento de votação, deixando que as divergências aflorassem no plenário, em frente às câmeras de televisão? Não é possível que não conseguissem chegar a um resultado majoritário respeitado por todos, como aconteceu na montagem do calendário do julgamento. Mesmo nesse caso, quando se pensava que era ponto pacífico a intenção de cumpri-lo no menor prazo possível, tanto para chegar-se mais rápido a uma definição como também para permitir que o ministro Cezar Peluso pudesse votar antes de sua aposentadoria compulsória, a 3 de setembro, veem-se a cada dia atitudes procrastinatórias, tanto por parte dos advogados de defesa — o que é natural, já que desconfiam que Peluso tenda a votar pela condenação dos réus — quanto de alguns ministros.

Com relação à maneira de votar, o desentendimento começou assim que o relator Joaquim Barbosa anunciou que aplicaria a mesma sistemática já adotada quando das alegações finais. Dividiu o processo em oito itens, e o revisor Ricardo Lewandowski viu nesse ato uma demonstração de que aderira de antemão à estrutura da acusação, o que já indicaria sua posição.

Acontece que a Procuradoria-Geral da República dividiu o processo em três núcleos — o político, o operacional e o financeiro — e não em itens. Esclarecido o mal-entendido, continuou-se num impasse, pois, se o relator queria que se votasse item por item, o revisor Lewandowski informava que seu voto seguia um raciocínio unitário e teria de ser lido de uma vez.

Na tentativa de chegar a uma decisão majoritária sem imposição, o presidente da corte, Ayres Britto, abriu a questão ao plenário, e a maioria decidiu que cada um votaria como quisesse. Mas essa solução não resolveu o impasse do Supremo.

O ministro Joaquim Barbosa acabou de votar seu primeiro item, pedindo a condenação do ex-presidente da Câmara

João Paulo Cunha por peculato, corrupção passiva e lavagem de dinheiro, e do lobista Marcos Valério e de seus sócios por corrupção ativa e peculato.

Nesse processo imaginado por Barbosa, na segunda-feira seria a vez de o ministro-revisor dar seu voto sobre os envolvidos nesse primeiro item, para em seguida os demais votarem. Acontece que, se Lewandowski decidisse ler seu voto na integralidade, não apenas ocuparia as próximas três ou quatro sessões como, mais grave, falaria sobre temas e personagens que ainda não teriam sido abordados pelo voto do relator.

Seria o caos, como definiu o ministro Marco Aurélio Mello. Por isso, a necessidade de um dos dois recuar de sua posição, e coube a Lewandowski se curvar diante da tendência da maioria.

Há ainda o risco de que, na metodologia de Barbosa, o ministro Cezar Peluso vote em alguns casos e não tenha tempo de votar em outros, o que poderá ser também objeto de contestação.

[Sábado, 18/8/2012]

Quebra-cabeça

A estratégia do relator do mensalão, ministro Joaquim Barbosa, ficou clara a partir da decisão de manter a mesma estrutura de votação de quando do acolhimento da denúncia. Vai montar, peça por peça, um quebra-cabeça.

Ele pretende permanecer no centro dos debates até o fim do julgamento, mantendo a atenção de seus pares e também (ou sobretudo) da opinião pública para cada um dos elos da cadeia de corrupção que detectou no esquema engendrado a partir da chefia da Casa Civil da primeira presidência de Lula. Por isso, como fez da primeira vez, deixará para o final seu voto sobre o crime de quadrilha, onde aparece o ex-ministro José Dirceu como chefe do esquema.

Espera assim demonstrar que os fatos se sobrepõem e estão concatenados, numa operação orquestrada de cima. Dentro desse raciocínio, faz sentido o relator ter começado seu voto pelo item "desvio do dinheiro público", pois, se aceita pela maioria do Supremo sua tese de que houve dinheiro público para os financiamentos ilegais, estará provado que o mensalão não consistiu apenas no uso de caixa dois como quer a defesa.

Teria sido por essa razão que o ministro Ricardo Lewandowski tentou mudar a metodologia de votação, pondo-se mais uma vez como contraponto do relator. A primeira sessão começou na quinta-feira com uma hora de atraso justamente porque, nos bastidores, a maioria tentou que o revisor Lewandowski aceitasse a divisão por itens do processo, o que não queria, provavelmente por intuir que a maneira de encaminhar a votação levaria a uma compreensão dos fatos mais próxima da acusação do procurador-geral da República.

Lewandowski, ao contrário, queria quebrar a ligação entre si dos fatos ocorridos, tanto que anunciou que seu voto seria nominal e por ordem alfabética. Ora, relacionar os réus não pelos crimes cometidos, mas pela primeira letra de seus nomes, esterilizaria completamente o julgamento.

O "espírito público" de Lewandowski, que registrei ontem, parece ter sido estimulado pelo isolamento em que se viu após tentar, diante das câmeras de TV, mudar procedimento que já fora acatado pela maioria de seus pares antes de a sessão começar. Superada a definição sobre a votação fatiada, de um modo tumultuado que seria dispensável para a boa imagem do Supremo, a ser mantido o calendário atual, o julgamento do mensalão entrará pelo mês de outubro.

Dessa maneira, o ministro Cezar Peluso só terá tempo de se pronunciar, no máximo, em um dos oito itens do voto do relator, justamente o que teve início na semana passada, o do desvio de dinheiro público.

Nesta segunda-feira, Lewandowski dará seu voto sobre o caso do ex-presidente petista da Câmara João Paulo Cunha e suas ligações com o lobista Marcos Valério e seus sócios nas empresas de propaganda. Supondo-se que levará também uma sessão para dar sua posição, só na quarta-feira teremos a votação dos demais ministros. Se cada um levar entre uma e duas horas, serão necessárias duas sessões para que os onze ministros votem. Esse item sobre o desvio de dinheiro público tem mais três partes (o contrato do Banco do Brasil; o caso Visanet; o Ministério do Esporte, Correios e Eletronorte), que devem ser tratadas em outra sessão por Barbosa.

Peluso é o sétimo a votar. Provavelmente terá condições de participar da segunda parte desse item e, se o prazo estiver muito apertado, poderá sempre pedir para antecipar seu voto.

Os próximos itens da pauta abordarão os diversos temas pela ordem definida pelo relator — lavagem de dinheiro e gestão fraudulenta do Banco Rural —, sendo que José Dirceu só aparecerá no julgamento em meados de setembro, respondendo por corrupção ativa em relação aos integrantes dos quatro partidos aliados do governo envolvidos no caso (PL, hoje PR; PMDB; PP; e PTB). O último item será a formação de quadrilha praticada pelo que o procurador-geral da República definiu como "núcleo político", composto por Dirceu, José Genoíno e Delúbio Soares.

Muito antes disso, porém, já saberemos em que direção vai a maioria do plenário do Supremo.

[Domingo, 19/8/2012]

As razões de cada um

A condução dos trabalhos do julgamento da ação penal 470, popularmente conhecida como "a do mensalão", talvez seja a tarefa mais delicada que o atual presidente do Supremo Tribunal Federal, ministro Ayres Britto, já enfrentou em sua carreira. Graças à sua capacidade de alcançar consensos, o processo, depois de sete anos de tramitação, chegou a plenário.

Mas, também devido a seu temperamento ameno, o presidente do STF muitas vezes é criticado por permitir que personalidades fortes, como a de muitos ministros da corte, se sobreponham aos interesses da maioria.

É dentro dessa estreita faixa entre a busca de acordos e a imposição da autoridade do cargo que Ayres Britto se movimenta, em busca de um julgamento "com racionalidade, operacionalidade, urbanidade e segurança", para deixar o STF em novembro com a sensação de ter cumprido um dever.

A cada bate-boca em plenário cresce a importância de ter na presidência, neste momento, um homem afável e respeitado como Ayres Britto. Os desentendimentos entre os ministros nas primeiras sessões não chegaram a macular o julgamento, embora seja desejável que se mostrem capazes de chegar a consensos antes que as divergências venham a público.

Mais do que ao temperamento de cada um dos envolvidos, atribui-se a interesses específicos as posições tomadas tanto pelo relator Joaquim Barbosa quanto pelo revisor Ricardo Lewandowski, cada um representando um polo no julgamento. Ao revisor, porém, não cabe necessariamente o papel de contraponto ao relator, função que Lewandowski assumiu em declarações públicas, o que de antemão demonstrou seu pendor contra a acusação. Ele vê no relator uma tendência a se alinhar com o procurador-geral da República, o que Barbosa considera "uma ofensa", pois pressupõe que comece seus trabalhos com parcialidade.

Não é normal que a tarefa do revisor tenha tanto destaque, e por isso não se ouviu falar em revisor protagonista antes do mensalão. No que se refere à sua incumbência direta, Lewandowski aprovou o relatório de Barbosa com um erro evidente, que teve de ser corrigido pelo pleno do STF. O processo contra o argentino Carlos Alberto Quaglia foi anulado graças ao trabalho de um anônimo defensor público, que denunciou irregularidades que deveriam ter sido detectadas pela revisão do processo. [Nota do Editor: Haman Córdova, da Defensoria Pública da União, apontou falha processual na ação penal contra Quaglia, que foi, portanto, anulada; o Supremo remeteu o caso a uma instância inferior.]

Diz-se que os ministros do STF são onze ilhas, por decidirem isoladamente, sem o espírito de coletividade. Mas pelo menos uma questão preocupa o conjunto: a credibilidade da corte.

O maior elogio que se pode fazer ao STF, a esta altura do julgamento, é que ninguém tem certeza do veredicto, embora se possam fazer tentativas de adivinhar o voto de um ou outro membro a partir de atitudes passadas.

Mesmo que as provas dos autos devam determinar a decisão dos juízes, as circunstâncias em que os fatos ocorreram dão à narrativa, tanto da acusação quanto da defesa, mais ou menos credibilidade. Por isso é que o relator Joaquim Barbosa fez questão de separar em partes seu voto, para contextualizá-los.

Mesmo fatos ocorridos fora dos autos, e que estão na vida cotidiana, que não para enquanto o julgamento prossegue, têm interferência no veredicto dos juízes. Foi o caso da decisão do TCU validando a apropriação da agência de Marcos Valério dos bônus de volume que, por contrato, deveriam ser do Banco do Brasil. Essa decisão, revogada em seguida, poderia dar a sinalização ao Supremo de que, em vez de representar desvio do dinheiro público, como quer a acusação, tratava-se de uma atitude empresarial normal.

Mesmo não sendo possível se apoiar na nova lei sobre lavagem de dinheiro que está em vigor para acusar um réu, pois quando os crimes foram cometidos a legislação era outra, mais restrita, os ministros não ignoram que novos conceitos sobre esse delito, de caráter internacional, estão sendo aplicados com o objetivo de melhorar o combate ao crime organizado

Nesse mesmo tópico entra o livro do ex-deputado petista Antonio Carlos Biscaia, que era presidente da Comissão de Constituição e Justiça da Câmara em 2005. Ao relatar pressões que diz ter sofrido por parte de Dirceu para que não fosse à frente o processo de sua cassação e, anteriormente, a relação do então Chefe do Gabinete Civil com o deputado Roberto Jefferson, dá mais informações sobre como se passavam as coisas no Palácio do Planalto à altura do escândalo do mensalão.

[Nota do Autor: Marcelo Auler, autor do livro *Biscaia*, esclareceria, adiante, que não há nele uma referência direta a pressões que o ex-ministro José Dirceu teria feito sobre o então presidente da Comissão de Constituição e Justiça da Câmara, Antonio Carlos Biscaia. O livro narra, sim, que Biscaia entendia que, se tivesse de votar pela continuidade do processo de cassação de Dirceu, como o faria no caso de ser preciso o voto de minerva, teria de imediatamente entregar o cargo de confiança para o qual o PT o havia indicado. A votação de 39 a 15 contra o recurso da defesa acabou poupando-o da renúncia. E ele, no plenário da Câmara, votou pela cassação de Dirceu.]

[Terça-feira, 21/8/2012]

Clareza de posição

O julgamento do mensalão vai se desenvolvendo em meio a contestações as mais variadas, e mesmo alguns ministros não têm certeza do que os espera a cada "fatia" que o relator Joaquim Barbosa destaca do processo. Ele deu prioridade à clareza de suas posições, embora muitas vezes em detrimento da clareza do processo em si.

Até agora, porém, há só processos confusos, e não supostos motivos para queixas insinuadas a cortes internacionais a pretexto de suposto cerceamento do direito de defesa dos réus.

Quando se esperava, ontem, que o revisor desse seu voto sobre o caso do ex-presidente da Câmara João Paulo Cunha, eis que o relator retomou a palavra para completar a terceira fatia do seu. O ministro Marco Aurélio Mello, por exemplo, revelou, irônico, que achava que, ontem, Lewandowski começaria a votar, para concluir que o fatiamento não é tão extenso quanto alguns temiam.

Mas há situações mais delicadas que podem acarretar polêmica sobre o único voto que o ministro Cezar Peluso deve proferir neste julgamento. Não é o caso de falar-se em possibilidade de anulação de seu voto, já que o recurso nesse sentido tem de ser feito ao próprio STF, que tem o direito de errar por último, como se diz nos meios jurídicos.

Mas há uma confusão no caminho que poderia ser evitada se o procedimento tivesse sido mais bem acertado entre os membros do STF. Se não, vejamos: como o relator levou duas sessões para analisar o item sobre desvio de dinheiro público, é provável que o revisor Lewandowski leve outras duas para dar seu voto, o que fará com que a votação dos demais ministros fique para a segunda-feira, dia 27. O ministro Peluso é o sétimo, e isso deve acontecer na segunda parte da sessão, na quarta-feira, dia 29.

Caso a dosimetria das penas seja debatida ao fim de todo o julgamento, como parece ser o consenso, Peluso já estará aposentado, o que levanta uma questão: seu voto, se condenatório, valerá mesmo que não participe da discussão sobre a extensão das punições?

Há advogados que dizem que não, que não deveria ser computado, pois não foi completado com a definição da pena. Há quem diga, no entanto, que sua saída do STF pela aposentadoria compulsória representa uma circunstância como outra qualquer — morte ou doença — e que até o último momento seu voto vale o mesmo que o dos demais. Para evitar essa polêmica, a dosimetria poderia ser feita ao fim de cada bloco. Se esse sistema fosse adotado pelo Supremo, haveria ainda a quinta-feira, dia 30, para Peluso participar da discussão sobre as penas dos acusados de desvio de dinheiro público, pois se aposenta em 3 de setembro, sessão que deverá ser dedicada à sua despedida.

Outra solução, que, entretanto, não resolve de todo a questão, seria Peluso, ao votar, adiantar sua posição sobre a dosimetria. Mas assim estaria se pronunciando antes do relator e do revisor e poderia ser questionado também.

Outra questão polêmica do julgamento, mas já vencida pela decisão da maioria do plenário, refere-se ao próprio fatiamento, que foi colocado em dúvida por um grupo de advogados de defesa. No centro dessa discussão está a admissão tácita de que a situação de seus clientes fica mais difícil com essa metodologia, e é justamente isso que o relator Joaquim Barbosa quer.

Ele ontem foi bastante explícito quanto à sua escolha: "Meu voto está em elaboração desde abril do ano passado e não inova em nada, porque o método foi utilizado em 2007 por ocasião da denúncia. O que me levou a adotar essa metodologia foi a simples preocupação com a clareza. A meu ver, se eu tivesse que ler 1.200 páginas, e o ministro revisor, mais 1.300 páginas, ao final ninguém mais se lembraria de nada. Espero ter sido bastante claro, embora o voto tenha sido demorado."

O próprio presidente do Supremo, Ayres Britto, esclareceu que a opinião da maioria é que o princípio da ampla defesa está mantido com esse procedimento, e de maneira indireta respondeu também à questão da dosimetria quando disse: "Essa cisão entre o juízo de condenação — em um primeiro momento, unindo todos os outros — e a segunda fase correspondendo à dosimetria da pena em nada conspurca o devido processo penal ou diminui o âmbito da ampla defesa dos réus."

[Quarta-feira, 22/8/2012]

Fase decisiva

O julgamento do mensalão entra hoje em fase decisiva com o voto do revisor Ricardo Lewandowski. Caso adote a posição do relator Joaquim Barbosa e entenda que houve, sim, crime de desvio de dinheiro público nos episódios envolvendo o ex-presidente da Câmara João Paulo Cunha e o ex-diretor do Banco do Brasil Henrique Pizzolato, estará reforçada a tese de que o que aconteceu no episódio em análise foi muito além do mero caixa dois de campanha eleitoral. E aberto caminho para a condenação dos demais réus envolvidos no esquema.

Caso, ao contrário, Lewandowski discorde da linha adotada por Barbosa e apresente argumentos tão convincentes quanto os da acusação, mas em sentido oposto, estará abrindo caminho para uma discussão do plenário sobre essa questão básica do caso do mensalão.

Até o momento, o ministro revisor está se mostrando um contraponto ao relator apenas nas questões de procedimento do julgamento, o que leva à impressão de que também nas questões de mérito discordará de Joaquim Barbosa. Mas não é assim, necessariamente. Muitos atribuem as manifestações de desagrado de Lewandowski, especialmente no primeiro dia de julgamento, a um desejo de atrasá-lo ou até mesmo de impedir sua continuidade, como quando ameaçou abandonar o cargo de revisor, o que paralisaria o processo.

Mas é preciso lembrar que também Joaquim Barbosa deixou essa possibilidade no ar ao reclamar dos seus problemas de saúde. Tudo indica que os desentendimentos entre ministros com maneiras diferentes de ver uma mesma questão podem ser superados em benefício do bom andamento do julgamento, sem que uma discordância formal sinalize um voto nesta ou naquela direção.

A tentativa de adivinhar o voto dos ministros leva a situações delicadas como a do ministro Cezar Peluso. Como se aposenta compulsoriamente, por chegar aos setenta anos, em 3 de setembro, teria tempo útil apenas para votar nesse primeiro bloco, que trata de desvio de dinheiro público. A possibilidade de que antecipe seu voto integralmente, prevista no regimento do Supremo, está sendo tratada como se fosse uma medida de exceção.

Como o relator e o revisor tratarão de partes segmentadas do processo, ao fim das quais haverá uma votação, considera-se que Peluso não poderia votar antes dos dois sobre temas ainda não abordados por eles. Mas o artigo 135 do Regimento Interno do STF não impede explicitamente essa antecipação, embora defina a ordem em que os votos devem ser tomados: "Art. 135 — Concluído o debate oral, o presidente tomará os votos do relator, do revisor, se houver, e dos outros ministros, na ordem inversa da antiguidade. § 1º Os ministros poderão antecipar o voto se o presidente autorizar."

Esse deve ser o próximo grande embate no plenário, e seria bom que a questão fosse decidida logo.

Toda a movimentação dos advogados dos réus contra a antecipação do voto de Peluso tem o pressuposto de que seja contrário aos mensaleiros, um raciocínio perverso para impedir um ministro do STF de participar legitimamente de processo que acompanhou desde o início e para o qual está preparado, como ressaltou Joaquim Barbosa.

Se Peluso quiser encerrar sua atuação no STF com um voto completo no caso do mensalão, caberá ao presidente Ayres Britto pesar todas as circunstâncias em jogo, e ele decidirá, provavelmente, com base na maioria do plenário.

[Quinta-feira, 23/8/2012]

O mesmo caminho

Mesmo que tenha ficado para hoje o caso do ex-presidente petista da Câmara João Paulo Cunha, o revisor Ricardo Lewandowski dificilmente deixará de o condenar ao menos por corrupção passiva e lavagem de dinheiro, pois o corruptor é o mesmo, e o método também, do esquema que condenou ontem.

O revisor, surpreendendo a maioria, seguiu o relator em todas as condenações pedidas para Henrique Pizzolato, ex-diretor do Banco do Brasil, Marcos Valério e seus sócios. Até no caso do bônus de volume, que Lewandowski considerou corretamente direcionado para a agência de propaganda e não para o Banco do Brasil, o revisor avaliou que houve desvio de parte dele, caracterizando o peculato.

Como Lewandowski deixou para abordar por último o caso do ex-presidente da Câmara João Paulo Cunha, quando o relator Joaquim Barbosa tratou dele em primeiro lugar, há uma expectativa de que tenha feito isso para criar um clima que permita absolver o petista. Seria manobra justificada por pressões políticas que estaria sofrendo por parte de setores do PT. Acho, porém, que, pela linha de raciocínio adotada, é improvável que defenda João Paulo Cunha de todas as acusações.

Pode haver discussão sobre o desvio do dinheiro público se o revisor não estiver convencido de que os contratos com a agência de Marcos Valério não foram realizados, embora o voto de Joaquim Barbosa tenha sido, a meu ver, bem eficiente no sentido de demonstrar que o contrato era desviado para os interesses pessoais de Cunha e do PT.

Quando anunciou que iniciaria seu voto pelo ex-diretor do Banco do Brasil, Lewandowski disse que o faria "por uma questão de racionalidade". Quem sabe não está fazendo isso de modo a ter um respaldo para condenar o petista?

Assim como Pizzolato, quando diretor do Conselho de Administração da Previ, recebeu um pacote de R$ 326 mil da SMP&B, retirado por um contínuo no Banco Rural no Rio de Janeiro, autorizado por Marcos Valério, também João Paulo Cunha recebeu, na boca do caixa do Banco Rural em Brasília, R$ 50 mil, retirados por sua mulher. O fato de o dinheiro ter sido registrado pelo Rural como "pagamento a fornecedores" pela SMP&B caracterizou, para o relator e para o revisor, a corrupção passiva e a lavagem de dinheiro, pois tanto Pizzolato quanto Cunha não declararam o recebimento desse dinheiro.

Retirar a acusação de peculato contra Cunha vai ser difícil, pois terá de encontrar uma razão que justifique o fato de que o então presidente da Câmara recebeu um dinheiro ilegal, já que a tese do caixa dois eleitoral está superada pela aceitação do revisor de que houve desvio de recursos públicos, entre outros, no Banco do Brasil através do Visanet, no valor de R$ 73,851 milhões para a agência DNA, de Valério, Ramon Hollerbach e Cristiano Paz.

Não pode passar despercebido pelos ministros do STF que, em outro processo, o do chamado mensalão tucano de Minas, o mesmo lobista Marcos Valério é acusado de ter montado originalmente esse mesmo modelo de desvio de dinheiro público para financiar partidos políticos. Esse esquema de distribuição de dinheiro "para fins ilícitos", como salientou Lewandowski, está ficando cada vez mais claro à medida que o julgamento transcorre, e é de salientar a concordância entre o relator e o revisor. Lewandowski, com bom humor, a certa altura pediu a Barbosa que guarde sua réplica "para outro dia", deixando no ar que pode discordar em algum momento do relator.

Ficando estabelecido, por esses dois primeiros votos, que receber dinheiro na boca do caixa do Rural representa lavagem de dinheiro e corrupção passiva, todos os demais réus que eram congressistas à ocasião estarão automaticamente incluídos nesse rol de acusados por parte de Barbosa e Lewandowski. Será inexplicável se, a esta altura do julgamento, o revisor vier a reviver a tese de que os repasses de dinheiro da agência SMP&B para os políticos representariam simplesmente caixa dois eleitoral, como insistem os advogados de defesa.

Com o imenso esquema financeiro que está sendo confirmado e desvendado no julgamento, fica claro que não importa se essa dinheirama toda tenha até sido usada em campanhas eleitorais. O dinheiro que foi distribuído entre políticos e funcionários públicos teve origem ilegal para financiar atos ilícitos.

[Sexta-feira, 24/8/2012]

Sem nexo

Mesmo que formalmente tenha limitado seu voto aos réus acusados de "desvio do dinheiro público", item inicial do relatório do ministro Joaquim Barbosa, o revisor Ricardo Lewandowski manteve seu esquema mental de separar os fatos, como se não tivessem conexão entre si.

Essa era sua intenção quando anunciou que leria o voto réu por réu, por ordem alfabética, negando assim liminarmente a tese da acusação de que os crimes eram relacionados e foram praticados por uma quadrilha que obedecia a um comando central e tinha objetivos políticos. Só assim poderia, no mesmo voto, condenar o diretor do Banco do Brasil Henrique Pizzolato e absolver o então presidente da Câmara dos Deputados João Paulo Cunha, acusados dos mesmos crimes.

Sintomaticamente, o ministro Lewandowski deixou passar, sem qualquer tentativa de explicação, os R$ 50 mil que a mulher de Cunha apanhou na boca do caixa do Banco Rural em Brasília.

Embora não tenha tido a coragem de assumir a tese do caixa dois eleitoral, implicitamente Lewandowski a admitiu como explicação razoável para o fato de um publicitário ter dado dinheiro vivo ao presidente da Câmara, a pedido do então tesoureiro do PT, Delúbio Soares, verba supostamente gasta em pesquisas eleitorais.

É espantoso que um ministro do STF, que já presidiu o Tribunal Superior Eleitoral, trate com tanta ligeireza a corrupção eleitoral e seja incapaz de ligar dois mais dois. Lewandowski, em seu voto, dá impressão de que é normal, uma simples coincidência, o fato de que o mesmo empresário, Marcos Valério, esteja nas pontas dos dois casos relatados, e que um não tenha nada com o outro, embora possuam como centro o Partido dos Trabalhadores.

Ora, se o próprio Lewandowski admitiu que Valério subornou o diretor do Banco do Brasil para desviar recursos públicos, como não ligar esse dinheiro desviado às verbas que Delúbio Soares passou a distribuir através das agências de publicidade de Valério, todas de uma maneira ou de outra contratadas por órgãos federais? Ainda mais havendo o antecedente de esquema semelhante adotado em Minas, na campanha eleitoral de 1998.

A atitude de Lewandowski, ontem, exigindo o direito à tréplica diante da decisão do relator de esclarecer os pontos falhos apontados pelo seu voto de revisão, traz de volta à cena pública sua deliberação de retardar o processo, atendendo ao interesse dos réus, especialmente os petistas. Não tem sentido que o Supremo fique paralisado enquanto o revisor assume uma posição de protagonista do julgamento, quando sua função é acessória.

O presidente Ayres Britto deixou bastante claro que o papel de orientador do processo é do relator, Joaquim Barbosa, que por isso tem direito a dar suas explicações antes que os demais ministros comecem a votar, na segunda-feira.

A mudança de critério de um dia para o outro é menos surpreendente do que seu voto inicial, que condenou Pizzolato, Valério e seus sócios, pois recoloca Lewandowski no caminho que ele mesmo traçou para si desde o início do julgamento: ser um contraponto ao voto do relator, que identifica como uma continuação da acusação do procurador-geral da República. Os comentários de que estaria agindo com firmeza contra a corrupção no Banco do Brasil para legitimar a absolvição que já tinha preparado para os integrantes do núcleo político do mensalão, especialmente o ex-ministro José Dirceu, confirmaram-se ontem, pois, com seu voto, o revisor já deixou pistas de que não considerará criminosos os saques na boca do caixa do Banco Rural por parte de políticos da base do governo.

Embora tenha se esforçado para demonstrar que estudou detalhadamente o processo, e tenha procurado afirmar que baseou seu voto "na realidade dos autos", Lewandowski passou por cima de detalhes cruciais, como, por exemplo, o fato de que os saques no Rural eram escamoteados pela agência SMP&B como "pagamento de fornecedores". E também ignorou que a primeira reação de Cunha foi mentir quanto à ida de sua mulher ao banco, alegando que fora pagar uma fatura de TV a cabo. Sabia, portanto, da origem ilegal do dinheiro. O caráter pessoal da contratação da agência IFT está demonstrado por reuniões, fora da Câmara, para organizar ações de campanhas eleitorais do PT, com a presença de Cunha.

O voto de ontem confirma as piores expectativas com relação ao trabalho do revisor do processo.

[Sábado, 25/8/2012]

As razões de Lewandowski

"Sou juiz há 22 anos, professor titular da Universidade de São Paulo. Tenho uma história. Vou julgar de conformidade com os autos, absolver alguns, condenar outros vários." Quem diz isso ao telefone é o ministro Ricardo Lewandowski, revisor do processo do mensalão, um dia após ter sido criticado, inclusive por mim, pelo voto absolutório dado ao ex-presidente da Câmara, o petista João Paulo Cunha.

Ele telefonou para esclarecer um ponto específico de seu voto, apenas para que eu não repetisse a informação errada: "Eu iria fazer meu voto por ordem da denúncia, assim como foram feitas as sustentações orais, e não por ordem alfabética, como você escreveu já duas vezes."

Lewandowski revela então que começaria pelo ex-ministro José Dirceu, depois pegaria o núcleo político. "É um processo extremamente complexo. Ninguém é perfeito, pode ter erro, mas estou procurando fazer o melhor possível."

Nenhuma queixa pelas críticas que tem recebido: "A democracia é isso, a liberdade de imprensa é isso. Eu aqui sempre defendi com unhas e dentes a liberdade de imprensa. Fui contra a Lei de Imprensa, contra o diploma de jornalista." Ele apenas admite que se "aborreceu um pouco" com a mudança de metodologia de apresentação do voto, pois trabalhou "durante meses e meses com uma certa lógica" e de repente "peguei meu voto e tive de cortar". Como é professor universitário, e não só fez várias teses como participou de várias bancas, Lewandowski gosta de frisar que é "muito cioso" sobre "a questão da lógica, da correção doutrinária, da citação bibliográfica correta".

Com a mudança de metodologia, diz que, juntamente com sua equipe, está trabalhando quase todo dia até meia-noite. Mas ressalta que, "se há três juízes aqui mais chegados, mais próximos, somos eu, o Joaquim (Barbosa) e o (Ayres) Britto. Agora uma coisa é uma coisa, outra coisa é outra coisa. São teses que nós defendemos".

Talvez tenha tréplica na reunião de segunda-feira, talvez não, desconversa. E explica por que o raciocínio que valeu para condenar Henrique Pizzolato não se aplicou a Cunha. "A questão do João Paulo Cunha tem nuances, e você vai ver que cada réu que é acusado de lavagem de dinheiro, dentro das circunstâncias específicas em que sacou, vai ter uma solução", explicou, reforçando a ideia que já antecipara no julgamento, na quinta-feira, quando ressaltou que, ao contrário de outros réus, que enviaram até garçons e contínuos para pegar o dinheiro, Cunha havia mandado a própria mulher, o que a seu ver demonstra que agira às claras. "Cada caso é um caso que vou me reservar a estudar." Em outros, afirma, pode haver o dolo eventual. A pessoa tinha de ter desconfiado de que o dinheiro poderia ser ilícito.

Lewandowski diz que procura ser muito coerente. "Na idade que a gente tem, é preciso poder dormir bem com o travesseiro, porque, se não, fica complicado." Lembra que há 22 anos, quando entrou na alçada criminal e começou a condenar, "não dormia direito", e ressalta que "a única salvação de um juiz é se ater à técnica".

O caso de Cunha pode caracterizar "um outro crime", mas alega que isso "não está na denúncia". Nesse caso, explica, "me pareceu que, embora o dinheiro tivesse vindo da SMP&B, em sendo um crime eventualmente eleitoral (também não estou afirmando isso), não ficou caracterizada a lavagem do dinheiro". Pode ser crime eleitoral, ou até tributário, mas, no entender de Lewandowski, não se encaixou naquele tipo de lavagem. "Os tipos penais são muito estritos, e não se pode inventar em matéria penal porque, se não, vamos viver num Estado arbitrário, e o juiz está muito jungido, adstrito ao tipo penal."

Lewandowski declara que "houve crimes graves, e quem os cometeu vai ter de pagar mesmo". Nos casos divergentes, como o de Cunha, em que absolveu, e o relator Joaquim Barbosa condenou, "o plenário vai dizer, e o plenário tem sempre razão".

De minha parte, mesmo ele não tendo reclamado, depois da conversa franca e educada com o ministro Ricardo Lewandowski, espero ter me precipitado ao afirmar que agia assim para ajudar os réus políticos, especialmente os petistas.

Vamos aguardar para ver como o ministro revisor distribuirá sua justiça.

[Domingo, 26/8/2012]

Os autos e a vida

Amanhã começa uma semana em que o processo do mensalão no Supremo Tribunal Federal terá duas definições: o primeiro veredicto do plenário, com os votos dos ministros sobre as acusações do item "desvio de dinheiro público", e a definição sobre o voto do ministro Cezar Peluso, que poderá pedir para antecipá-lo integralmente ou dar apenas seu parecer sobre o tema em julgamento nessa primeira "fatia" do processo. Cabe a ele, e somente a ele, decidir se pede essa exceção ou não. Ao presidente do Supremo, ministro Ayres Britto, o regimento interno permite que autorize o pedido, sem consultar os pares.

O mais provável é que, caso Cezar Peluso se decida a votar integralmente, já terá a certeza de que a maioria do plenário é favorável. Por sua experiência e saber jurídico, Peluso é considerado capaz de dar o "voto médio" do Supremo, isto é, aquele que pode dar um balizamento no julgamento.

As circunstâncias criaram uma pressão extra sobre sua decisão, pois a próxima quinta-feira deverá ser sua última sessão no Supremo, obrigado que está por lei a se aposentar quando fizer setenta anos, no dia 3 de setembro.

Com um sentido distinto daquele que o prefeito petista de São Bernardo, Luiz Marinho, disse sobre o ministro José Dias

Toffoli, muitos consideram que Peluso "não tem o direito de não participar". Isso porque estaria privando o STF de seu veredicto, que não se sabe qual será, mas que é temido pelos réus, além de provocar uma situação que pode ser explorada por quem quer melar o julgamento.

Como é possível um juiz condenar sem dar penas? — perguntam alguns, já que Peluso estará aposentado quando o STF se dedicar à dosimetria.

Alguns réus serão julgados por um plenário de onze ministros, e outros, por um de dez, e os que desejam criar um ambiente de descrédito colocam isso como uma falha. Não há nada de anormal nesse fato, e outras circunstâncias, além da aposentadoria, poderiam provocar esse desfalque, que não afeta a capacidade de julgamento do STF, cujo quórum mínimo é de seis ministros.

Peluso só faz um comentário a respeito: "Vocês saberão no momento próprio." É natural que pese bastante sua atitude, que ficará na história do Supremo e, sobretudo, na sua biografia.

Existe uma máxima, usada por um dos advogados dos réus, de que "o que não está nos autos não está na vida", a justificar os julgamentos puramente técnicos, como o alegadamente proferido pelo ministro Ricardo Lewandowski ao absolver o deputado petista João Paulo Cunha. Ele diz que cada juiz tem uma valoração sobre as provas e uma maneira diferente de interpretar a lei. Para justificar não ter ligado o desvio de dinheiro público do Banco do Brasil, que condenou, à distribuição do dinheiro que Marcos Valério realizou, afirma que não é possível fazer-se essa ligação nos autos.

Assim como, quando alega que a mulher do deputado assinou um recibo no Banco Rural, não leva em conta que os recibos não eram papéis formais que seriam enviados aos órgãos fiscalizadores, mas uma contabilidade interna não oficial, quase uma "prestação de contas" do Banco Rural a Marcos Valério sobre quem pegou o dinheiro. Esses recibos só foram descobertos anos depois das denúncias, nos arquivos da instituição, sendo que o que foi para o Banco Central se referia aos saques como "pagamentos para fornecedores" da SMP&B.

Mas há outros juízes que pensam o contrário, que a vida deve influenciar a interpretação dos autos. Por isso, encontrarão vários depoimentos de petistas ilustres e políticos aliados do governo dizendo que o então chefe da Casa Civil, José Dirceu, não interferia nas coisas do PT. Todos eles, porém, acompanharam os primeiros anos do governo Lula e sabem o poder de que Dirceu desfrutava na máquina governamental.

No caso de João Paulo, haverá juízes que saberão fazer o nexo entre causa e efeito, e não considerarão coincidência a presença de Marcos Valério nas duas pontas. O grande teatrólogo Nelson Rodrigues, cujo centenário de nascimento comemora-se este mês, dizia: "Deus está nas coincidências."

[Terça-feira, 28/8/2012]

O Brasil vai mudando

Ao contrário do que comemorou o advogado Márcio Thomaz Bastos após o voto do revisor do mensalão, ministro Ricardo Lewandowski, parece estar se formando no plenário do Supremo Tribunal Federal um posicionamento majoritário contra a tese do caixa dois defendida pelos réus, engendrada nos porões das atividades eleitorais petistas. Houve mesmo quem, como a ministra Rosa Weber, tenha assegurado que "(...) não importa o destino dado ao dinheiro, se foi gasto em despesas pessoais ou dívidas de campanha. Em qualquer hipótese, a vantagem não deixa de ser indevida".

Esse entendimento está fazendo com que os ministros que votaram até agora deixem isolados os dois que optaram pela absolvição do petista João Paulo Cunha, presidente da Câmara à época em que os crimes em julgamento foram cometidos.

Parece também ser consenso da maioria que vai se formando a tese do procurador-geral da República de que esse tipo de crime não é feito às claras e é de difícil comprovação, e por isso exige do julgador bom senso. Rosa Weber foi específica: "(...) quem vivencia o ilícito procura a sombra e o silêncio. O pagamento não se faz diante de holofotes. Ninguém vai receber dinheiro para corromper-se sem o cuidado de resguardar-se."

Devido à dificuldade inerente a esse tipo de crime é que vários ministros reconheceram, como Rosa, que se tem "admitido certa elasticidade na admissão da prova acusatória", a exemplo do que ocorre nos chamados "crimes da intimidade", como o estupro, quando se valoriza especialmente o depoimento da vítima. Disse ela: "Nos delitos de poder não pode ser diferente. Quanto maior o poder ostentado, maior a facilidade de esconder o ilícito com a obstrução de documentos, corrupção de pessoas. A potencialidade do acusado de crime para falsear a verdade implica maior valor das presunções. Delitos no âmbito reduzido do poder são, pela sua natureza, de difícil comprovação."

Dois ministros deram a seus votos a dimensão da proteção da sociedade: Cármen Lúcia e Luiz Fux. Este disse que "temos de nos preocupar com a dignidade das vítimas, que é toda a coletividade brasileira". Classificou o caso várias vezes de "megadelitos" e chamou a atenção para o fato de que, em alguns momentos, o que poderia ser considerado apenas um erro administrativo ou delito menor ganha outra dimensão porque realizado "em um contexto maior". Para Fux, "(...) a cada desvio de dinheiro público, mais uma criança passa fome, mais uma localidade fica sem saneamento, mais um hospital, sem leitos. Estamos falando de dinheiro público, destinado à segurança, à saúde e à educação".

O ministro chamou a atenção também para a questão das provas, que pode gerar "a situação grotesca da necessidade de se obter uma confissão escrita sobre esses fatos que não se imagina que efetivamente ocorra". Por isso, diz que hoje há uma função "persuasiva" da prova em contraposição "àquela real e absoluta". O juiz parte de um fato conhecido para chegar a um desconhecido, "um trabalho de construção da realidade fática". Fux colocou no plenário a discussão sobre a "presunção de inocência", afirmando que "não é qualquer fato posto que pode destruir a razoabilidade de uma acusação". Disse que ouviu muito durante as defesas a tese recorrente de que "não há prova" contra este ou aquele, mas lembrou que "o álibi cabe a quem o suscita, portanto, à defesa. Se ela alega um álibi, precisa apresentar os elementos que o sustentem".

Também a ministra Cármen Lúcia disse que, independentemente do resultado do julgamento, "o Brasil mudou", falando da "grande indignação" que os fatos em julgamento provocaram. Ela considerou que o fato de João Paulo Cunha ter mandado sua mulher apanhar o dinheiro de Valério no Banco Rural em Brasília demonstra uma "singeleza extremamente melancólica para nós brasileiros, de uma certeza de impunidade, de que nada se terá descoberto. Fez às claras para se esconder".

É de se notar que Gilmar Mendes praticamente antecipou seu voto com relação a João Paulo ao comentar sua posição no recebimento da denúncia, quando considerou o fato "atípico", uma atenuante. Explicou que "à época, mandar um parente próximo parecia que estava recebendo uma ordem de pagamento. Depois, viu-se que era uma forma de esconder".

[Quarta-feira, 29/8/2012]

Provas e indícios

É provável que tenhamos ainda hoje a definição dos votos sobre as acusações contra o deputado federal petista João Paulo Cunha, que precisa de quatro votos em cinco para ser absolvido (já recebeu os votos absolutórios dos ministros Ricardo Lewandowski e Dias Toffoli) ou apenas mais dois votos para ser condenado pela maioria do Supremo Tribunal Federal.

Digo que é provável porque não se sabe qual a extensão do voto de Cezar Peluso. Se optar por dar seu voto integralmente antes de se aposentar em 3 de setembro, poderá tomar boa parte da sessão de hoje.

O ministro Peluso tem o direito de antecipar o voto, não só pelo regimento interno do Supremo, mas pela decisão do plenário no primeiro dia de julgamento, cuja maioria decidiu que cada um votaria da maneira que quisesse. O fato de todos até agora, inclusive o revisor, terem aceitado adotar o procedimento proposto pelo relator Joaquim Barbosa não quer dizer que Peluso seja obrigado a fazer o mesmo. Ele pode simplesmente dar voto integral sem nem pedir autorização excepcional ao presidente do Supremo, prevista no regimento interno.

É provável que Peluso já saiba o que a maioria de seus pares acha, e por isso a atitude que tomar estará respaldada por essa maioria. Mesmo quando o regimento interno permite que não consulte o plenário, Peluso, se considerar que sua decisão precisa ser apoiada pela maioria, procura atuar segundo o pensamento de seus pares.

Foi o que houve nas votações sobre a Lei da Ficha Limpa, quando era presidente da corte. Ele proferiu o voto de minerva a favor de Jader Barbalho na decisão sobre se a lei o impedia de assumir vaga no Senado, dando-lhe ganho de causa, quando se recusara a desempatar em outra ocasião.

Peluso explicou então que, embora o regimento determine que, em caso de empate, o presidente vote uma segunda vez para decidir, não se considerava à vontade nessa situação e preferiu seguir a opinião do plenário: na primeira sessão de julgamento sobre a chamada "Ficha Limpa", quando se recusou a desempatar o julgamento, o fez simplesmente porque a maioria presente não concordou com a aplicação da regra regimental.

No caso de Barbalho, porém, todos os ministros presentes, inclusive os que tinham votado em sentido contrário, decidiram aplicar a regra regimental. Este é o ministro Peluso que estará atuando esta semana pela última vez no Supremo. Seu voto será importante para definir se a tendência do plenário está na direção apontada até agora pela maioria, e também para testar caminhos jurídicos traçados por alguns ministros ao votarem. [Nota do Editor: Cezar Peluso decidiria mais tarde, neste mesmo dia 29 de agosto, não antecipar votos sobre os réus do mensalão então ainda não julgados pelos ministros que o antecederam no julgamento realizado no Supremo Tribunal Federal. Aposentado compulsoriamente a 3 de setembro, votou apenas sobre os réus João Paulo Cunha, Marcos Valério, Ramon Hollerbach, Cristiano Paz e Henrique Pizzolato.]

Cármen Lúcia, por exemplo, tratou da "verdade real" em contraponto à "processual" a que o revisor tanto faz questão de se referir. Para a ministra, esse processo é extremamente árduo pela dificuldade de se colherem provas, "de se saber qual é a verdade real e a verdade processual". Com isso, tocou num ponto crucial, que o ministro Luiz Fux já havia abordado, o da qualidade das provas.

A função da prova no processo era bem definida, lembra Fux: transportar para o processo a verdade absoluta que ocorrera na vida dos litigantes. Nesta concepção, uma condenação só pode decorrer da verdade dita "real" e da (pretensa) certeza absoluta do juiz a respeito dos fatos.

Contemporaneamente, ressaltou Fux, "(...) chegou-se à generalizada aceitação de que a verdade (indevidamente qualificada como 'absoluta', 'material' ou 'real') é algo inatingível pela compreensão humana, por isso que, no afã de se obter a solução jurídica concreta, o aplicador do Direito deve guiar-se pelo foco na argumentação, na persuasão, e nas interações que o contraditório atual, compreendido como direito de influir eficazmente no resultado final do processo, permite aos litigantes".

O que importa para o juízo "é a denominada verdade suficiente constante dos autos". Para ele, o moderno Direito Penal resgata "a importância que sempre tiveram, no contexto das provas produzidas, os indícios, que podem, sim, pela argumentação das partes e do juízo em torno das circunstâncias fáticas comprovadas, apontar para uma conclusão segura e correta".

Essa maneira de encarar o processo reduz a importância da alegada "falta de provas" nos autos contra os réus, para dar maior dimensão às testemunhas, aos indícios, às conexões entre os fatos.

[Quinta-feira, 30/8/2012]

Farsa desmontada

O julgamento do primeiro item do processo do mensalão trouxe definições importantes por parte do Supremo Tribunal Federal que terão repercussão não apenas nas questões jurídicas, mas também no plano político nacional.

As condenações por dez a zero até agora de Marcos Valério e seus sócios, de um lado, e do ex-diretor do Banco do Brasil Henrique Pizzolato, de outro, assim como a de João Paulo Cunha, até agora por oito a dois, enterram definitivamente a teoria do caixa dois eleitoral, sacada da mente astuta de algum advogado medalhão — agora o ex-ministro da Justiça Márcio Thomaz Bastos, a quem era atribuída a tese, passou a negá-la — e que serviu para o presidente Lula tentar reduzir os danos de seu partido, o PT.

O Supremo Tribunal Federal decidiu que houve desvio do dinheiro público para irrigar o *valerioduto* e, pela maioria dos votos, deixou claro que o crime de corrupção está definido nos autos, não importa o que foi feito com o dinheiro desviado, se pagamento de dívidas eleitorais ou doações benemerentes.

O ex-presidente Lula, que prometeu, ao sair do governo, se empenhar para desmontar o que chamou de "farsa do mensalão", agora está diante de uma verdade irrefutável: o STF, composto por uma maioria de juízes nomeados pelo PT, decidiu que o mensalão é uma triste verdade e, por contraponto, a tese do caixa dois eleitoral é que é a farsa.

Da maneira como está transcorrendo, esse julgamento vai se transformar em um novo balizamento para a atividade política, que estava acostumada à ilegalidade, como se fosse inevitável no sistema partidário tal como conhecemos hoje. E também estão sendo estabelecidos balizamentos para o exercício do serviço público.

Vai ser preciso mudar o comportamento dos políticos e de seus financiadores, até porque o perigo da punição exemplar está mais próximo do que jamais esteve. Os acusados das mesmas práticas no PSDB mineiro e no DEM de Brasília podem se preparar para o mesmo destino.

Hoje, com a tendência que vai se cristalizando no julgamento do mensalão, os indícios e as conexões entre os fatos ganharam relevância significativa, a tal ponto que passa a ser possível condenar alguém sem a utilização de gravações, que podem ser impugnadas, e até mesmo sem um ato de ofício formal.

O caso do ex-diretor do Dnit Luiz Pagot é emblemático. Ele confessou na CPI do Cachoeira que o tesoureiro da campanha da hoje presidente Dilma Rousseff lhe pediu uma relação dos empreiteiros que trabalhavam em obras do governo para pedir financiamento. Ele mesmo chegou a arrecadar pessoalmente alguns milhões para a campanha de Dilma, o que, admitiu, não foi muito ético.

Pelo entendimento que vai se fazendo no julgamento do Supremo, essa atitude de um servidor público é suficiente para caracterizar peculato e corrupção passiva, mesmo que não se prove que houve beneficiamento aos empreiteiros doadores, mesmo que as doações tenham sido feitas legalmente. E até mesmo que não tenha havido beneficiamento algum.

O ministro Cezar Peluso foi claro em relação a João Paulo Cunha, ex-presidente da Câmara: "O delito está em pôr em risco o prestígio, a honorabilidade e a responsabilidade da função. Ainda que não tenha praticado nenhum ato de ofício, no curso da licitação, o denunciado não poderia, sem cometer crime de corrupção, ter aceitado esse dinheiro dos sócios da empresa que concorria à licitação."

O ministro Marco Aurélio Mello entrou em detalhes: "Assento que para a corrupção ativa, basta que se ofereça. Pode haver inclusive a recusa. (...) (basta que) se ofereça, se prometa vantagem. Vantagem visando, simplesmente visando, a prática de um ato pelo servidor."

O "ato de ofício" seria um agravante do crime de corrupção.

O ministro Celso de Mello reforçou a tese: "Não há necessidade de que o ato de ofício seja praticado. (...) Se a vantagem indevida é oferecida na perspectiva em um ato de que possa vir a praticar." Sintetizando o que parece ser o espírito a presidir esse julgamento, o decano Celso de Mello definiu: "(...) corruptos e corruptores, (são) os profanadores da República, os subversivos da ordem institucional, os delinquentes marginais da ética do Poder, os infratores do erário, que portam o estigma da desonestidade. (...) E, por tais atos, devem ser punidos exemplarmente na forma da lei."

[Sexta-feira, 31/8/2012]

Os rumos do STF

Com o término do julgamento, pelo Supremo Tribunal Federal, da primeira das oito etapas do processo do mensalão, já é possível tirarem-se algumas conclusões. Parece certo, por exemplo, que os políticos que sacaram na boca do caixa do Banco Rural ou receberam dinheiro, seja a que título for, das empresas de Marcos Valério serão condenados por corrupção passiva e lavagem de dinheiro, ressalvada alguma especificidade da acusação.

O núcleo financeiro, que começou a ser julgado ontem nas figuras dos diretores do Banco Rural, pela lógica majoritária no julgamento, também não escapará de condenação por lavagem de dinheiro, já que foi aceita pela maioria dos ministros a tese da acusação, assumida pelo relator Joaquim Barbosa, de que os recursos depositados no Rural e distribuídos por Marcos Valério eram produto de desvios de divisas públicas.

O banco também teria colaborado com o esquema do publicitário, pois aceitou pôr em seus registros oficiais que o dinheiro fora sacado pela agência SMP&B para pagamento de fornecedores e, paralelamente, pagava a pessoas autorizadas por Valério, registrando em contabilidade extraoficial, que só foi descoberta anos depois devido à quebra de sigilo bancário, os nomes dos sacadores, com suas assinaturas. Eram registros para prestação de contas a Marcos Valério, e não ao Banco Central ou ao Coaf.

Será interessante acompanhar os votos a respeito da "formação de quadrilha", um dos crimes pelos quais os dirigentes do Rural estão sendo acusados. José Roberto Salgado e Kátia Rabello respondem também por lavagem de dinheiro, evasão de divisas e gestão fraudulenta de instituição financeira. Vinicius Samarane e Ayanna Tenório respondem pelos mesmos crimes, menos evasão de divisas.

O relator montou sua peça baseado na conexão entre os diversos itens, e a "formação de quadrilha" é uma acusação que une o núcleo financeiro ao núcleo operacional e ao núcleo político, formado pelo ex-ministro José Dirceu, por José Genoino e Delúbio Soares. Seu voto será no sentido de que os empréstimos dados pelo Rural às agências de Valério e ao PT foram fraudulentos, isto é, serviram para encobrir a distribuição pelo *valerioduto* de dinheiro desviado dos cofres públicos.

A maioria dos ministros parece ter comprado a tese de que houve "um rematado esquema de desvio de dinheiro público", nas palavras do presidente do STF, Ayres Britto, e o crime de "formação de quadrilha" começará a ser delineado no julgamento do núcleo financeiro do esquema.

Esse mesmo raciocínio será carregado para o julgamento dos demais segmentos da proposta do relator. Dirceu, acusado pelo procurador-geral da República, Roberto Gurgel, e pelo relator de ser o "chefe da quadrilha", passou de um réu sem "atos de ofício" que o condenassem, como defendiam seus advogados, a incluso entre os que são passíveis de punição pelo conjunto de provas testemunhais e indiciais que estão nos autos.

Ontem, Ayres Britto pôs mais um tijolo na peça acusatória que está sendo erigida pela maioria do STF. Disse que, embora não se possa admitir condenação criminal "apoiada tão somente em depoimento de corréu, até porque sabemos que o corréu não pode ser testemunha, pois não tem o dever de dizer a verdade", adiantou que "nada impede que o julgador lance mão dos depoimentos colhidos para subsidiariamente sustentar condenação penal".

Se formos para o caso de Dirceu, a acusação do corréu Roberto Jefferson era descartada por sua defesa como sendo uma peça sem força, justamente pela condição do acusador. Já se sabe que, ao contrário, seu depoimento será juntado a outros indícios e testemunhas para a avaliação final dos juízes.

A diretora do Rural Kátia Rabello, por exemplo, teve encontros com José Dirceu, e há relatos, inclusive de Valério, de que o então ministro sabia do esquema de empréstimos ao PT e era consultado por Genoino e Delúbio antes de tomarem uma decisão. Também o fato de a ex-mulher de Dirceu, Ângela Saragoça, ter conseguido empréstimo no Rural de R$ 200 mil para comprar um apartamento, a pedido de Valério, deve entrar na consideração dos ministros. Para aumentar as coincidências nesse caso, o apartamento antigo de Ângela foi comprado por um amigo de Valério.

[Terça-feira, 4/9/2012]

Um novo enredo

O ministro Ricardo Lewandowski abriu seu voto renegando a percepção de muitos de que não leva em conta os indícios e conexões dos fatos para construir sua convicção, atendo-se apenas à "verdade processual".

Ao tratar da responsabilidade dos dirigentes do Banco Rural, fez questão de ressaltar que votaria seguindo o relator Joaquim Barbosa porque, além de provas dos autos, como relatórios internos do próprio banco e do Banco Central, havia muitos indícios demonstrando que os empréstimos ao PT e à agência publicitária SPM&B foram feitos com normas mínimas de segurança, revelando serem "de pai para filho", fora dos padrões normais dos bancos.

Aqui, abro um parêntesis para comentar a análise do advogado Márcio Thomaz Bastos, que defende o ex-diretor do Banco Rural José Roberto Salgado. Bastos lamentou com repórteres que os ministros estejam dando tanta importância aos relatórios internos do próprio banco; segundo ele, é "normal" que, ao final, a diretoria decida a conveniência ou não de empréstimos desse tipo. Assim, admite implicitamente o caráter "político" das operações. Voltando ao voto do revisor, os indícios não levaram Lewandowski a se convencer de que, como acusa o procurador-geral da República, Roberto Gurgel, e endossa Joaquim Barbosa, os empréstimos foram fictícios, para encobrir o dinheiro desviado dos cofres públicos que foi distribuído por Marcos Valério a petistas e políticos aliados.

Para Lewandowski, houve gestão fraudulenta, sim, mas para agradar ao empresário, que os diretores do Banco Rural consideravam que teria influência no governo petista e lhes poderia abrir as portas para bons negócios futuros. Pode estar aí a explicação do voto do revisor, que até agora não conseguiu ver nexo entre o desvio do dinheiro público e o mensalão. Ele está criando um novo enredo, não se sabe com que fim.

Ao condenar o ex-diretor de marketing do Banco do Brasil Henrique Pizzolato, por desvio do Fundo Visanet para a conta de Valério, Lewandowski tratou o assunto como se fosse um crime isolado, um mero trambique entre ambos, sem nada a ver com o dinheiro que o então presidente da Câmara, João Paulo Cunha, recebeu do mesmo Valério, aceitando a tese da defesa de que o mandante fora o ex-tesoureiro do PT Delúbio Soares.

Chegou a entusiasmar o advogado Márcio Thomaz Bastos, que considerou seu voto a vitória da tese do caixa dois eleitoral. Uma maioria de nove ministros não aceitou a leitura do revisor, à qual apenas o ministro Dias Toffoli aderiu. Já agora, ao condenar o Banco Rural por gestão fraudulenta para agradar um empresário que teria bom trânsito com o PT, o ministro Lewandowski está entrando por outra senda, diferente da explorada pelo relator, mas que vai dar igualmente no conluio de um empresário corrupto com o partido do governo. Se o dinheiro que Valério distribuiu para o PT e seus aliados provinha do "empréstimo" do Rural, pelo menos Delúbio Soares e José Genoino, que o assinaram, teriam cometido peculato, pois, para isso, não é necessário fazer qualquer ato ilegal, mas apenas sugerir a possibilidade. E não é preciso que o dinheiro seja público ou privado. Não estão sendo acusados desse crime, porém. Vai ser difícil, então, inocentá-los da acusação de corrupção ativa.

Provavelmente, Lewandowski vai dizer que havia dinheiro legal e ilegal na distribuição feita por Valério. Mas, se o empréstimo do PT foi real, por que o dinheiro distribuído aos políticos, por ordem de Delúbio, tinha de sair do bolso de Valério, através da SMP&B? E por que só foi pago muitos anos depois de tomado?

Entender que os empréstimos eram verdadeiros, mas dados através de métodos fraudulentos, torna a história mais complicada e menos verossímil que a do procurador-geral da República, assumida pelo relator Joaquim Barbosa. Resta ver para onde a maioria do plenário do Supremo seguirá desta vez.

[Quinta-feira, 6/9/2012]

Fecha-se o cerco

No que interessa realmente à elucidação do esquema criminoso em julgamento pelo Supremo Tribunal Federal, começou a ser formado entendimento majoritário de que os empréstimos do Banco Rural às agências de publicidade de Marcos Valério e ao PT foram fictícios, usados para encobrir desvio de dinheiro público distribuído a políticos petistas e aliados do primeiro governo Lula, no que ficou conhecido como escândalo do mensalão.

Os únicos que discordaram dessa tese até o momento foram o revisor, Ricardo Lewandowski, e o ministro Dias Toffoli, que, até quando condenaram acusados de algum crime, fizeram-no separando deliberadamente causa e efeito — tenho a impressão de que para, ao final, concluírem que houve mesmo apenas caixa dois eleitoral.

Dias Toffoli disse ontem, por exemplo, que a fraude do Rural aconteceu com o intuito de dar a impressão ao Banco Central de que o banco estava mais saudável do que na realidade, enquanto Lewandowski afirmou que o banco queria agradar Marcos Valério, porque o considerava canal para bons negócios com o novo governo.

O ministro Toffoli se baseou num laudo do Instituto de Criminalística da Polícia Federal para dizer que os empréstimos existiram. O relator Joaquim Barbosa esclareceu que esse documento "foi já elaborado sobre a contabilidade fraudada". E por isso os peritos fazem a ressalva de que não se manifestavam sobre a veracidade das operações, mas apenas sobre a formalidade.

A teoria do controle final ou funcional do fato, referida pelo procurador-geral da República, Roberto Gurgel, quando fez a acusação ao ex-ministro José Dirceu de ser o "chefe da quadrilha" do mensalão, voltou a ser citada ontem por vários ministros.

Rosa Weber, por exemplo, disse que, nos crimes desse tipo, "é necessário verificar quem detinha o poder de mando. Mal comparando, nos crimes de guerra, punem-se os generais, os estrategistas; não os soldados". Ela ressaltou que "o autor é o dirigente ou os dirigentes que podem evitar que o fato ocorra". Diante de "empréstimos jamais cobrados, ou empréstimos concedidos ou renovados sem qualquer preocupação de garantia da liquidez", a ministra concluiu que eram fraudulentos.

Rosa Weber citou o fato de Marcos Valério ter sido o responsável pelo agendamento, "por pelo menos três vezes", de reuniões entre o Banco Rural e o então ministro-chefe da Casa Civil, José Dirceu, das quais Kátia Rabello participou duas vezes. Além disso, lembrou que Marcos Valério foi utilizado na promoção da instituição financeira junto ao Banco Central, comentando que o banco utilizava "as boas relações de Marcos Valério com o PT". Para a ministra, "esses crimes não poderiam ser fruto do acaso, de falhas operacionais. Não se trata de pura e simples presunção, mas de compreender os fatos consoante a realidade das coisas".

O ministro Luiz Fux foi o que mais explicitou o cerne da questão, ao explicar que não estavam os ministros a discutir apenas a concessão de empréstimos: "(...) a gestão fraudulenta tem um mosaico de infrações, temos uma demonstração de que o núcleo financeiro deu apoio através de um núcleo publicitário para uma agremiação partidária." Para ele, a entidade bancária "serviu-se de uma verdadeira lavanderia de dinheiro para cometer um crime que não está nem previsto na lei: deveria ser gestão tenebrosa, pelos riscos que acarreta à economia popular".

Na mesma linha, a ministra Cármen Lúcia, aceitando a tese de que "não seriam verdadeiros", falou sobre a importância de se definir a verdadeira razão dos empréstimos às agências SMP&B e à Graffiti e também ao Partido dos Trabalhadores, para os quais o banco desrespeitou todas as normas: "Como as instituições financeiras atuam num sistema, tudo o que é do povo não pode ser gerido de acordo com (a decisão) de qualquer um", mas deve obedecer a normas ditadas pelo Estado, para que o povo tenha confiança de deixar seu dinheiro ser gerido por uma instituição financeira.

[Sexta-feira, 7/9/2012]

Mão pesada

Encerrada a segunda parte do julgamento do mensalão, já há definições importantes que devem orientar o voto dos ministros nas demais etapas. É consensual que houve desvio de dinheiro público, seja através da manipulação de licitação na Câmara dos Deputados, seja no Visanet do Banco do Brasil.

Há maioria já definida sobre a condição fictícia dos empréstimos tomados pelas agências de Marcos Valério e pelo PT ao Banco Rural. Buscavam encobrir o desvio de dinheiro para financiamento político. Será a partir dessas decisões já tomadas pela maioria dos ministros que o Supremo Tribunal Federal enfrentará as demais etapas do processo do mensalão.

Já não há mais espaço para alegações de que o que houve foi "apenas" caixa dois eleitoral, que tudo não passou de "farsa" ou de "golpe dos conservadores" contra o governo popular de Lula. A manifestação mais rombuda nesse sentido partiu do presidente do PT, Rui Falcão, que acusou "a mídia conservadora" e setores do Judiciário de serem instrumentos de poder de uma oposição "conservadora, suja e reacionária".

O ex-ministro Márcio Thomaz Bastos, defensor do dirigente do Banco Rural José Roberto Salgado, condenado por dez a zero por gestão fraudulenta, pretendeu fazer uma análise técnica do julgamento, mas a intenção foi desqualificar as decisões do STF: "O julgamento caminha para um retrocesso, com a desconsideração dos atos de ofício. Um julgamento que não assegura algumas garantias." Para ele, "há um endurecimento do tribunal e uma flexibilização no julgamento".

Ora grosseiramente, ora tentando transparecer uma análise técnica, surgem críticas à atuação do STF entre políticos e advogados próximos aos réus e em órgãos de imprensa, tradicionais ou virtuais, ligados ao governo ideologicamente e/ou por questões financeiras. Por isso, vários ministros ontem trataram de rebater essas críticas ao mesmo tempo que mantinham a "mão pesada" na condenação dos acusados. Gilmar Mendes ressaltou que "a corte tem reiterado princípios caros aos cidadãos e ao Estado de Direito, como o amplo direito de defesa". E destacou que em nenhum momento o STF cuidou "de flexibilização desses princípios, mesmo diante da justa opinião do povo contra quem participou de um fato repugnante, merecedor de repúdio".

Quando chegou sua vez de votar, o presidente da corte, Ayres Britto, referiu-se a críticas "algo meio veladas" de que o STF "colocaria em questão o devido processo legal substantivo, como se alguns elementos conceituais tivessem sendo objeto de representação". Ele garantiu que até agora o Supremo "não inovou em nada nesse sentido fragilizador".

Para corroborar essa afirmação, o decano do STF, ministro Celso de Mello, lembrou que já em 1994 usou uma expressão de Heleno Fragoso, que afirmava que basta que o agente se deixe corromper para que esse ato seja visto na perspectiva do ato de ofício. "Por isso o Código Penal pune aquele que ainda não se investiu no cargo público, mas aceitou se corromper."

Rosa Weber já havia abordado esse tema quando deu seu primeiro voto, chamando a atenção para o fato de que, devido à dificuldade inerente a esse tipo de crime, "tem-se admitido certa elasticidade na admissão da prova acusatória". Para a ministra, nos delitos de poder como o que está em julgamento, não pode ser diferente, pois "quanto maior o poder ostentado, maior a facilidade de esconder o ilícito com a obstrução de documentos, corrupção de pessoas".

Luiz Fux também tratou dessa questão mais de uma vez. Disse a certa altura que o julgamento técnico não pode servir de "subterfúgio" para crimes. Afirmando em outra ocasião que se chegou "à generalizada aceitação de que a verdade (indevidamente qualificada como 'absoluta', 'material' ou 'real') é algo inatingível pela compreensão humana", frisou que o que importa para o juízo "é a denominada verdade suficiente constante dos autos".

Para ele, o moderno Direito Penal resgata "a importância que sempre tiveram, no contexto das provas produzidas, os indícios, que podem, sim, pela argumentação das partes e do juízo em torno das circunstâncias fáticas comprovadas, apontar para uma conclusão segura e correta".

[Sábado, 8/9/2012]

Novas práticas

O julgamento do mensalão está provocando na opinião pública um debate que até bem pouco não se considerava possível, dentro da tradição brasileira de leniência com a corrupção pública.

É verdade que não houve mobilização para grandes manifestações nas ruas das principais capitais do país, e nem mesmo em Brasília ocorreu a movimentação que se esperava, a ponto de o Supremo Tribunal Federal ter contratado segurança particular reforçada. Tampouco, porém, o mensalão virou "piada de salão", como está prestes a descobrir, na própria pele, o ex-tesoureiro do PT Delúbio Soares, que fez essa previsão anos atrás, quando se considerava inalcançável pela Justiça.

A repercussão de suas consequências já se faz sentir tanto nas redes sociais, que escolheram o ministro relator Joaquim Barbosa como herói, quanto nas pesquisas eleitorais, que mostram a perda de substância política do PT em áreas onde sempre foi bem votado, como o Nordeste.

As capitais do país, onde a classe média tem mais peso, estão até o momento rejeitando os candidatos petistas, mesmo que o tema "mensalão" não tenha entrado com toda força nas campanhas eleitorais e que se saiba que questões locais têm grande influência nas disputas municipais.

O ex-presidente Lula tinha razão quando tentou, ultrapassando todas as margens de segurança e civilidade democrática, adiar o julgamento para depois das eleições. Sabia que a combinação dos dois não faria bem à saúde do PT, muito embora os demais partidos também tenham culpas parecidas.

O problema do PT é que o julgamento dos políticos do DEM e do PSDB envolvidos em mensalões semelhantes, em Brasília e em Minas, não é realizado neste momento. No entanto, a jurisprudência ora criada pelo Supremo Tribunal Federal certamente levará a que os próximos julgamentos desse tipo ocorram sob critérios mais rigorosos do que, por exemplo, os daquele que liberou o ex-presidente Collor de Mello. [Nota do Editor: julgado pelo STF em 1994, Collor foi absolvido, por falta de provas, por oito votos a três; dois ministros se abstiveram e uma cadeira se encontrava vaga.]

Além do fato de ele ter sido impedido pelo Congresso, no que parecia ser, na ocasião, uma punição mais que suficiente, por inédita, desde então os hábitos e costumes do país foram se aperfeiçoando, embora estejam longe do ideal. Uma demonstração clara dessa mudança cultural que se forja no Brasil é a reação generalizada dos advogados criminalistas, e não só os de defesa, e dos petistas ao posicionamento dos juízes do STF. Alguns dos maiores criminalistas do país estão sendo derrotados, uns por unanimidade, porque basearam suas defesas em teses anacrônicas, que o plenário do Supremo está se encarregando de destruir. E tudo dentro dos melhores preceitos constitucionais e da jurisprudência da corte.

Da mesma maneira, seria impensável, há poucos anos, a aprovação de uma lei como a da Ficha Limpa, que a muito custo implantamos. Também é novidade bem recebida a devolução dos recursos roubados estabelecida em diversas instâncias, como começou a ser feito agora no país.

O deputado federal Paulo Maluf luta há anos para preservar o dinheiro que jura não ter no exterior, mas, cedo ou tarde, terá de devolvê-lo aos cofres públicos. O ex-senador Luiz Estevão devolverá R$ 468 milhões após acordo com a Advocacia Geral da União, parte dos recursos desviados do TRT de São Paulo em um dos maiores escândalos de corrupção do país. Também com relação ao mesmo escândalo, a Suíça autorizou que se repatriem US$ 7 milhões da conta do ex-juiz Nicolau, montante retido desde 1999 em um banco suíço.

A surpresa das condenações de réus do mensalão já faz com que a opinião pública fique, em vez de saciada em sua sede de Justiça, mais exigente. Afinal, se deputados federais e ex-ministros estão prestes a ir para a cadeia, e também banqueiros há muito tempo envolvidos em irregularidades nunca punidas, por que não sonhar mais longe e pensar além?

Se o dinheiro roubado é público, como decidiu a maioria do plenário do STF, quem vai reembolsá-lo ao governo? O PT? Os demais ladrões? O Banco Rural?

Até o momento, nenhum juiz tocou nesse assunto, que certamente será abordado, assim como o ministro Cezar Peluso, antes de se aposentar, incluiu na pena do réu João Paulo Cunha a cassação de seu mandato.

Deveria ser uma consequência natural da condenação, mas, ainda assim, a Câmara dos Deputados reage à punição, tentando transformá-la em um assunto *interna corporis*, quando se trata de um servidor público que desmereceu o cargo que ocupa.

[Domingo, 9/9/2012]

Critérios

A reclamação de ministros do Supremo de que o revisor Ricardo Lewandowski está encompridando desnecessariamente seus votos, fazendo com que o julgamento possa entrar por novembro adentro, não está relacionada apenas à possibilidade de o presidente do STF, Ayres Britto, ter de se aposentar sem poder participar da discussão da dosimetria das penas.

O perigo maior está em que a parte final do julgamento seja atrasada pela nomeação de dois novos ministros, o que levará a que eventuais penas de condenados sejam adiadas por prazo indeterminado devido a embargos da defesa, que seriam analisados por um plenário diferente do atual.

Os "embargos infringentes" só podem ser apresentados caso o condenado tenha pelo menos quatro votos pela absolvição, pedindo que o processo seja revisto, mas os "embargos de declaração" podem ser feitos a qualquer pretexto, para esclarecimentos de detalhes do acórdão, com a decisão final do STF.

Entre a decisão e a publicação, podem se passar seis meses, como no exemplar caso do deputado federal Natan Donadon, do PMDB de Rondônia, condenado pelo STF a treze anos de prisão em outubro de 2010 e que continua no exercício do mandato, pois o "embargo de declaração" ainda não foi avaliado.

Há outros casos de políticos condenados que permanecem sem cumprir a pena devido a recursos ao STF. O fato de o deputado federal João Paulo Cunha estar ameaçado de ser condenado à perda de mandato evitará que continue na Câmara, mas os embargos podem adiar a aplicação das penas.

É quase certo, portanto, que o ministro Ayres Britto tenha de se aposentar antes do final desse tortuoso processo, e que o relator Joaquim Barbosa assuma a presidência do STF, uma garantia de que o processo continuará a andar dentro dos mesmos critérios atuais. Os embargos, porém, serão analisados por um plenário diferente do atual, o que pode favorecer alguma mudança de julgamento, ou pelo menos retardar mais ainda o cumprimento das penas. Nos bastidores de grupos petistas, cujos líderes vão sendo punidos pela marcha do julgamento, há um movimento para que a presidente Dilma nomeie ministros ideologicamente ligados ao partido. A revolta que lhes causa a atuação da maioria dos ministros no julgamento do mensalão se deve ao fato de que, a começar pelo próprio ex-presidente Lula, uma parte ponderável deles considera uma "traição" que nomes indicados por governos petistas possam condenar ações partidárias que julgam, no máximo, parte do que chamam de "luta política".

O ex-presidente teria comentado com amigos que nomeara ministros "sem biografia", que estariam agora querendo marcar suas posições. Certamente não se referia a Toffoli, o de biografia menos relevante entre os atuais.

Dos onze ministros, nada menos que oito foram nomeados por Lula ou Dilma. Desses, apenas dois — o revisor Ricardo Lewandowski e Dias Toffoli — têm votado de acordo com a tese oficial, a de que o que houve foi apenas caixa dois eleitoral. Mesmo assim, nenhum dos dois assumiu até agora uma versão final para os fatos, apenas revelando em seus votos a tendência de separar o desvio de dinheiro público, que condenaram, e o uso político desse mesmo dinheiro.

A reação raivosa de setores petistas, como a do próprio presidente do partido, Rui Falcão, homem de confiança do ex-ministro José Dirceu, tem levado a especulações sobre a próxima escolha de novos dois ou três integrantes do STF a ser feita por Dilma, para substituir Cezar Peluso, que já se aposentou, Ayres Britto, que sai em novembro, e talvez Celso de Mello, que anunciou tendência a antecipar sua aposentadoria ao fim do julgamento do mensalão.

Esses setores obscurantistas do PT querem que as futuras nomeações de Dilma se assemelhem mais ao perfil de Toffoli do que ao de Luis Fux ou ao de Rosa Weber, os dois indicados pela presidente, que têm sido bastante duros em suas decisões até agora. O que deveria ser motivo de orgulho para um governo democrático, a independência de ministros do STF, passa a ser uma afronta política. Resta ver agora se Dilma está arrependida de seus critérios de nomeação. Seus dois nomeados estão entre os que deram até agora votos mais sólidos.

[Quinta-feira, 13/9/2012]

O revisor heterodoxo

Graças à reação imediata do relator Joaquim Barbosa, não prosperou ontem a insinuação do revisor Ricardo Lewandowski de que o julgamento do mensalão estaria se desenrolando de maneira "pouco ortodoxa". Como se sabe, essa é a nova versão que os petistas ligados ao ex-ministro José Dirceu estão espalhando, já para justificar uma condenação que ele próprio parece aguardar, segundo reportagem da *Folha de S.Paulo*.

Ironicamente, foi o próprio Lewandowski que introduziu no julgamento prova heterodoxa para justificar sua decisão de absolver a ré Geiza Dias dos Santos: uma entrevista recente do delegado Luís Flávio Zampronha, que presidiu o inquérito policial que resultou na Ação Penal 470.

Joaquim Barbosa irritou-se, chamando de "bizarra" a situação, afirmando que o delegado deveria ter sido "suspenso". E o ministro Gilmar Mendes disse que existiam provas suficientes nos autos para formar convencimento "sem que seja preciso avocar 'provas' em entrevistas à imprensa". Ambos classificaram de "heterodoxa" a posição do revisor.

Foi então que Lewandowski comentou que "este não é o julgamento mais ortodoxo já realizado nesta Corte". O novo bate-boca teve origem, portanto, em uma provocação de Lewandowski, que, não recebendo apoio de qualquer dos membros do plenário, tratou de recuar e voltou aos seus longos votos, que insiste que está reduzindo.

Os críticos do modo como o STF julga o mensalão, principalmente os advogados dos réus e setores do PT, alegam que os ministros estão condenando sem provas, sem atos de ofício, levando em consideração circunstâncias e indícios que seriam "provas tênues". Mas o próprio Lewandowski utiliza os mesmos critérios impressionistas para absolver réus. Todos os ministros alegam, inclusive o revisor, que usam dados circunstanciais para consolidar as provas que estão nos autos.

No primeiro voto pela absolvição de Ayanna Tenório, funcionária do Banco Rural, em sessão anterior, Lewandowski valorizou tanto as circunstâncias vivenciadas pela acusada que chegou a dizer que, sendo uma diretora novata, não teria condições de recusar a assinatura dos empréstimos que se mostraram fraudulentos.

Ontem mesmo voltou ao tema que já levantara no início do julgamento, quando absolveu Ayanna: a análise das denúncias à luz da frase de Ortega y Gasset: "Eu sou eu e minhas circunstâncias." Segundo alegou, "a Justiça criminal é orteguiana; temos de julgar a pessoa inserida em sua situação". Com isso, queria dizer que suas decisões levavam em conta a situação real em que cada um dos réus se encontrava na ocasião da consumação dos crimes.

A certa altura, quando defendia a inocência de Geiza, declarou: "Muitos aqui podem estar perplexos, mas falo de fatos da vida...", adotando método de análise diverso do que defendeu nas primeiras intervenções, quando afirmou que só poderia se guiar pelos autos, lembrando um velho ditado jurídico que diz que "o que não está nos autos não está na vida". Em outra ocasião de seu voto de ontem, Lewandowski, mesmo depois de ter se referido à entrevista do delegado Zampronha, ressaltou que nos seus votos não levaria em consideração "nada que não esteja abrigado no conjunto que consta dos autos".

Para absolver Geiza, que exercia "mera função burocrática e subalterna", leu três e-mails para provar "certa candura dessa senhora", o que, segundo ele, é possível reconhecer-se "de maneira intuitiva, até do conhecimento humano". Diante da risada em tom alto de Barbosa, Lewandowski chegou a comentar: "Sei que não é do agrado do ministro relator, mas são fatos da vida."

A disputa entre os ministros Barbosa e Lewandowski reflete bem a tensão que existe entre duas posições bastante claras até o momento. A majoritária acompanha o procurador-geral da República e o relator Barbosa, enquanto Lewandowski e Dias Toffoli permanecem em posição minoritária na maior parte das votações. Até agora, apenas na acusação de lavagem de dinheiro contra o deputado federal João Paulo Cunha houve quatro votos de absolvição, o que permitirá que recorra.

As demais votações foram largamente favoráveis aos ministros que acompanham a acusação. Se permanecer desse modo, só restarão aos advogados dos réus embargos de declaração, para esclarecer pontos da decisão final.

[Sexta-feira, 14/9/2012]

O sangue e a alma

A ministra Cármen Lúcia pontuou ontem a sessão do julgamento do mensalão que tratava de lavagem de dinheiro não apenas com a clareza de seu voto, mas com a definição de que "o dinheiro é para o crime o que o sangue é para a veia: se não circular com volume, não temos como irrigar o esquema".

Como já está definido que, em grande parte, o dinheiro desse esquema criminoso vem da administração pública, a ministra ressaltou que o que foi montado "é um sistema delituoso e grave, alimentado desta maneira". Alguns votos de ontem, por sinal, já antecipam posições de ministros sobre questões que serão analisadas adiante, como a distribuição de dinheiro a políticos. Cármen Lúcia, em certa altura de seu voto, descreveu que "se teve obtenção de recursos de maneira ilícita e a recolocação e a entrega a beneficiários que se colocaram à disposição para se fazer isso".

Já Dias Toffoli admitiu "ser possível efetivar uma correlação lógica entre os recursos desviados com a conivência de Henrique Pizzolato, tanto no que se refere ao bônus como à antecipação das verbas do Fundo Visanet, e os empréstimos tomados do Banco Rural" à lavagem de dinheiro pelas agências de Marcos Valério e seus sócios, afirmando que está comprovado "o chamado *valerioduto*". Mas antecipou uma dúvida:

se será provado que esses recursos serviram para comprar votos no Congresso. Sua definição provocou reação de Gilmar Mendes: "Só por um reducionismo muito forte poder-se-ia falar em um *valerioduto*. A rigor, é um sistema muito mais complexo do que isso e envolve a participação de autoridades e agentes públicos." Esse sistema tem alma, exclamou Gilmar.

Outro ponto importante do julgamento foi a tentativa do relator Ricardo Lewandowski e de Dias Toffoli de absolver Rogério Tolentino do crime de lavagem de dinheiro, sob a alegação de que era mero advogado de Valério. Essa desqualificação de Tolentino antecipa posição de ambos com relação a indícios que comprometem o ex-ministro da Casa Civil José Dirceu.

Tolentino foi quem comprou, a pedido de Marcos Valério, o apartamento de Maria Ângela da Silva Saragoça, ex-mulher de Dirceu, que também foi empregada no banco BMG, por interferência do lobista mineiro. Foi no BMG que Tolentino tomou um empréstimo de R$ 10 milhões, também a pedido de Valério, que, na opinião da maioria do STF, permitiu a lavagem de dinheiro desviado dos cofres públicos através de triangulação bancária com a empresa de Tolentino.

Lewandowski alegou que a questão do empréstimo do BMG não estava sendo tratada no julgamento; só os do Banco Rural. Por isso, não havia nos autos nada que se referisse a Tolentino no item específico de lavagem de dinheiro. "Mais adiante podemos ver se ele é culpado por formação de quadrilha ou corrupção ativa", alegou o revisor. Mas, a começar pelo relator, vários ministros demonstraram que o processo é unitário, não havendo possibilidade de não se analisar alguém por um delito simplesmente porque os detalhes não estão descritos naquela determinada fatia do julgamento.

Ayres Britto, presidente do STF, lembrou que todos os ministros tomaram conhecimento integral do processo e têm informações sobre as conexões de cada um dos réus. E nos autos havia referência explícita ao empréstimo do BMG, entre outros. A preocupação com a corrupção foi ressaltada no voto de Ayres Britto, que disse que ela leva à "(...) desnaturação do exercício da função pública, a um comércio ultrajante da função pública, e, mais do que isso, também leva a uma apatia cívica, mas um ceticismo cívico, em que os cidadãos deixam de acreditar na seriedade do poder público".

O decano do STF, Celso de Mello, chamara a atenção em seu voto para o montante que o crime organizado movimenta pelo mundo, calculado em US$ 1 trilhão "só em matéria de recursos oriundos do tráfico de entorpecentes". A preocupação, frisou, é: "(...) impedir que se valha dos agentes da República, que penetre no aparelho do Estado, para, a partir dos ganhos colossais, exercer uma gama muito extensa de poder político, em ordem até mesmo de comandar o próprio Estado — o que é terrível e, por isso mesmo, merece toda repulsa. (...) Portanto, a repercussão não é apenas penal, mas na esfera política e constitucional."

[Sábado, 15/9/2012]

O STF contra o crime

Os advogados dos réus e alguns comentaristas, sobretudo os ligados ao PT, afirmam que o Supremo Tribunal Federal está fazendo um "massacre condenatório" no julgamento do mensalão ao mudar entendimentos tidos como estabelecidos, especialmente os relacionados aos crimes de colarinho-branco.

O fato é que os defensores partiram de uma posição tradicional, que levava em conta menor as provas indiciárias ou as circunstanciais e as testemunhas quando não submetidas ao contraditório diante de um juiz. Os depoimentos em CPIs, por exemplo, não eram considerados se não reafirmados em juízo.

Todos os ministros do Supremo que se pronunciaram a respeito deixaram claro que não bastam apenas provas indiciárias ou circunstanciais para condenar alguém; elas têm de complementar o que está nos autos de maneira tênue. Porém, a partir do conjunto desses elementos, o juiz pode montar um quadro em que as peças se encaixem, mesmo que não tenha um ato de ofício ou uma confissão.

E também as provas testemunhais ganham relevo nesse contexto. Se mudança houve, seria não de conteúdo, mas de interpretação, porque o crime globalizado que movimenta trilhões de dólares consegue controlar governos e estados, e é preciso tomar providências para conter essa onda.

O juiz não pode ficar inerte diante dos fatos evidenciados pelos indícios, pelas circunstâncias, pelas testemunhas porque não conseguiu flagrante do acusado, porque o acusado foi mais esperto. Se deixa rastros no caminho, o juiz tem obrigação de segui-los e de juntar as peças. Anteriormente, havia o consenso de que ninguém poderia ser acusado de corrupção ativa se não houvesse o chamado "ato de ofício", isto é, um documento que demonstre que a pessoa se utilizou do cargo que exerce para corromper alguém. Por isso, o ex-presidente Collor foi absolvido no Supremo.

O ex-ministro Cezar Peluso, no último voto que proferiu antes da aposentadoria, defendeu que não há hierarquia entre as provas. "O sistema processual, não só o processual penal, assevera que a eficácia do indício é a mesma da prova direta ou histórico-representativa", disse.

Rosa Weber afirmou em seu primeiro voto que "(...) nos delitos de poder, quanto maior o poder ostentado pelo criminoso, maior a facilidade de esconder o ilícito. Esquemas velados, distribuição de documentos, aliciamento de testemunhas. Disso decorre a maior elasticidade na admissão da prova de acusação". A mudança veio porque crimes de colarinho-branco, corrupção e lavagem de dinheiro viraram práticas globalizadas, e, com as novas tecnologias, fica cada vez mais difícil apanhar os acusados.

Luiz Fux iniciou seu voto na última quinta-feira mostrando que citava "inúmeros precedentes da nossa jurisprudência no sentido de que nós, da Suprema Corte, podemos nos valer desses elementos circunstanciais, em que a defesa tem que se contrapor a esse conjunto de elementos que conduzem a essa conclusão", retomando um tema polêmico, de que cabe ao acusado provar seu álibi. Para ele, "a prova pericial é considerada uma prova mais importante nesta espécie de delito onde não se assinam bilhetes".

Observando que a lavagem de dinheiro é crime que alimenta outros crimes, como o tráfico de drogas, Fux disse que "(...) a prova deixou de ser meramente demonstrativa para ser persuasiva; é a persuasão dos elementos probatórios que vai levar o juiz a um melhor convencimento. (...) É possível concluir-se por um juízo de condenação com a conjugação de todos esses elementos". E citou o jurista italiano Giovane Leoni, que afirma que "a expressão máxima da presunção é exatamente a soma dessas provas".

Quando chegou sua hora de votar, o decano do STF, Celso de Mello, fez questão de reafirmar que "o Supremo Tribunal Federal tem observado e assegurado aos réus todas as garantias processuais que as leis lhes resguardam". Mas deixou claro que o princípio da presunção de inocência é dos mais caros ao regime democrático do Direito brasileiro, para rebater indiretamente a tese da presunção defendida por Fux: "(...) em matéria de responsabilidade penal, não se registra no Brasil, e neste modelo que entre nós permanece, não se pode reconhecer a culpa do réu por mera suspeita de presunção ou por ouvir dizer." Ao que o presidente do STF, Ayres Britto, acrescentou: "A presunção é justamente inversa, em favor do réu. É signo de Estado de Direito."

[Domingo, 16/9/2012]

O domínio do fato

Às vésperas da primeira sessão em que políticos petistas e outros, de partidos aliados, serão julgados pela acusação de compra de votos em troca de apoio político, a revista *Veja* traz, neste fim de semana, um relato, atribuído ao lobista Marcos Valério, que incrimina o ex-presidente Lula no mensalão.

Já condenado a muitos anos de prisão, e sendo provável que, até o fim do julgamento, seja condenado a outros tantos por novos crimes, Valério tem certeza de que ficará na cadeia por longo tempo e estaria revoltado com o abandono a que seus amigos do PT o relegaram. Segundo o relato, ele acusa Lula de ser o verdadeiro chefe da trama criminosa e dá detalhes de quem viveu por dentro a intimidade dos palácios presidenciais.

De concreto, em termos do julgamento, nem essas revelações nem as acusações anteriores de advogados dos réus têm o condão de incluir o ex-presidente nesta Ação Penal 470. Mas os estragos políticos são devastadores, e nada impede que uma denúncia seja feita contra Lula mais adiante.

No próprio julgamento, o advogado Luiz Francisco Barbosa, que defende Roberto Jefferson, acusou o ex-presidente de ser o verdadeiro mandante dos crimes. Ele se baseou na tese do "domínio do fato", que levou o procurador-geral a acusar o ex-ministro José Dirceu como o "chefe da quadrilha". "Não só sabia como ordenou o desencadeamento de tudo isso. Aqueles ministros eram apenas executivos dele", garantiu o advogado, referindo-se a José Dirceu, Luiz Gushiken e Anderson Adauto.

Pelo menos um deles, José Dirceu, disse certa vez que nada fazia sem o conhecimento de Lula. Para provar sua tese, Barbosa fez um relato muito semelhante ao do procurador-geral. E acusou Roberto Gurgel de prevaricação por ter "sentado em cima" de um pedido formal para incluir Lula entre os réus do mensalão.

Anteriormente, em setembro de 2011, o advogado Marcelo Leonardo afirmou, nas alegações finais apresentadas ao STF na defesa de Valério, que faltava alguém no banco dos réus. Usando o mesmo raciocínio que *Veja* atribui a Marcos Valério, segundo quem "apenas os mequetrefes" estão sendo condenados, escreveu na ocasião: "É um raríssimo caso de versão acusatória de crime em que o operador do intermediário aparece como a pessoa mais importante da narrativa, ficando mandantes e beneficiários em segundo plano. (...) Alguns, inclusive, de fora da imputação, embora mencionados na narrativa, como o próprio presidente Lula."

Relatos anteriores davam conta de que Marcos Valério, deprimido, enviara mensagens para seus interlocutores no PT, principalmente a Paulo Okamoto, ex-tesoureiro do PT e amigo íntimo de Lula, ameaçando revelar detalhes do envolvimento do ex-presidente no mensalão. Okamoto admitiu recentemente ter conversado com Valério, mas, ao contrário de para acalmar o publicitário mineiro, as conversas tinham um motivo mais trivial do que chantagens, embora inverossímil: "Ele queria me encontrar porque às vezes desejava saber como está a política, preocupado com essas coisas."

Lembrando que o próprio procurador-geral da República, Roberto Gurgel, acusou o esquema de ter sido tramado de dentro do Palácio do Planalto, o advogado de Jefferson disse que seria uma ofensa a Lula afirmar que não sabia de coisa alguma. "Claro que sua excelência (Gurgel) não pode afirmar que o presidente da República fosse um pateta, um deficiente, que sob suas barbas estivessem acontecendo tenebrosas transações e ele não soubesse nada", concluiu Luiz Francisco Barbosa.

Nas vezes anteriores em que deixou vazar ameaças contra seus parceiros petistas, Valério recuou. Diante da situação concreta de se ver na cadeia, é possível que tenha perdido a esperança de ser salvo, apesar das promessas que diz ter recebido. Os petistas lhe garantiram que adiariam o julgamento o quanto pudessem e que as penas seriam brandas. A realidade tem sido bastante diferente.

Ministros do Supremo deixaram escapar que, pela tese do "domínio do fato", se a cadeia de comando não terminasse no ex-ministro José Dirceu, teria de subir um patamar e atingir Lula.

[Terça-feira, 18/9/2012]

A vida e os autos

A parte mais sensível do julgamento, justamente a que cuida do envolvimento de políticos na trama criminosa, começou ontem cercada de fatos que não estão nos autos, mas na vida real: as denúncias atribuídas ao lobista Marcos Valério publicadas na revista *Veja*, a entrevista do ex-ministro José Dirceu, réu no processo, afirmando que não pretende fugir do país mesmo condenado, e as declarações cuidadosas do procurador-geral da República, Roberto Gurgel, sobre o envolvimento do ex-presidente Lula no mensalão. Fatos da maior relevância, que demonstram a etapa delicada da história política que vivemos.

O relator Joaquim Barbosa escolheu a dedo começar esta etapa do julgamento pelo PP, pois é o caso exemplar da compra de apoio político em troca de dinheiro. Partido que estava na oposição, o PP passou-se para o governo sem que houvesse qualquer motivo político relevante, naquele momento, para a adesão. Até ali, nosso presidencialismo de coalizão não estava tão desmoralizado quanto hoje, quando todos cabem no barco governista a troco de cargos e salários. No início do primeiro governo Lula, ainda havia uma divisão de partidos mais claramente definida, e era preciso fazer a maioria à custa de pagamentos.

Além disso, o PP montou esquema de lavagem de dinheiro muito sofisticado, usando a corretora Bonus-Banval, o que serve como exemplo da acusação de lavagem de dinheiro, que, para Barbosa, vem junto com a de corrupção passiva. Essa, aliás, promete ser a discussão mais acalorada no plenário do STF. Se até agora as condenações e as absolvições foram definidas por placares elásticos, a acusação de lavagem de dinheiro contra João Paulo Cunha foi aceita de forma bastante apertada, seis a cinco.

Nessa conta entram não apenas os votos dos ministros Lewandowski e Toffoli, que absolveram João Paulo até mesmo de corrupção passiva, mas até dos que, como Rosa Weber, fizeram-no por questões de entendimento jurídico. Para ela, a ocultação do dinheiro recebido por ato de corrupção faz parte desse crime, não significando um delito separado passível de nova punição.

Isso quer dizer que os que votaram pela condenação de João Paulo pelos dois crimes podem repetir a dose nesta rodada, e que, se um deles mudar de posição, pode até mesmo influir na sentença do ex-presidente da Câmara, já que os ministros podem alterar o voto até o acórdão com a decisão final do julgamento. Retirar a acusação de lavagem de dinheiro pode reduzir a pena de um condenado entre três a dez anos.

O relator deve ocupar pelo menos mais uma sessão, se não a totalidade das sessões desta semana, para ler seu voto, pois estão em jogo nada menos que 23 réus e dezenas de acusações. E o revisor provavelmente usará igual tempo para apresentar o seu, de contraponto, o que levará o julgamento para um tempo bem além do previsto, quem sabe entrando mesmo por novembro.

Apesar disso, os ministros não chegam a acordo para fazer sessões extras, uns porque, como Marco Aurélio Mello, acham que o julgamento não deve ter tratamento especial além do que considera razoável, outros porque têm compromissos já assumidos ou trabalham também no Tribunal Superior Eleitoral. Mas até mesmo os que, como o presidente Ayres Britto, gostariam de fazer mais sessões já veem no prolongamento fatores positivos. Como, por exemplo, o detalhamento da acusação e da defesa, assim como o debate entre os ministros vogais, para dar uma demonstração de que o julgamento obedece aos melhores ritos do Estado de Direito.

Simultaneamente, com o interesse crescente da população, alguns ministros estão convencidos de que as sessões do STF se transformaram em exemplo de democracia e devem ter um efeito modelar para os hábitos políticos do país. O desfile de mutretas, encontros em quartos de hotéis e acordos políticos às escondidas em troca de dinheiro servem para demonizar essas práticas. Ao mesmo tempo, os comentários paralelos, ora chamando a atenção para aspectos do rito do devido processo legal, ora para criticar atitudes heterodoxas na negociação política, além do teor dos próprios votos dos ministros, serviriam como uma lição de democracia.

[Quarta-feira, 19/9/2012]

Modelo falido

O debate, ontem, entre senadores do PT e do PSDB sobre o mensalão é bastante representativo do nível baixo de nossa política. Não tendo mais como defender seu partido, o PT, dos crimes que estão sendo provados sessão após sessão no julgamento do Supremo Tribunal Federal, o senador do Acre Jorge Viana resolveu atribuir ao PSDB a origem do esquema criminoso, alegando que os petistas foram "alunos mal aplicados" que tentaram repetir "o modelo profissional do PSDB e do PFL".

O líder do PSDB, senador Álvaro Dias, saiu-se bem de início, defendendo que, "se o PT sabia do episódio de 1998 em Minas, deveria ter denunciado em vez de repetir o modelo cinco anos depois". Mas depois se perdeu na tentativa de tapar o sol com a peneira, alegando que desconhecia o tal "mensalão mineiro".

É o roto falando do esfarrapado.

A atitude de Viana reflete a repercussão, nas eleições municipais, do julgamento do mensalão, especialmente nas capitais, inclusive Rio Branco. O PT vem encontrando dificuldades nos grandes centros, onde a opinião pública é mais interessada em questões que dizem respeito a valores e comportamentos, e tenta levar consigo o PSDB. Enquanto isso, o que está em análise pelo STF são nossos hábitos e costumes. Os políticos acusados de corrupção passiva e lavagem de dinheiro têm chances reais de serem condenados, a persistirem os critérios já utilizados pela maioria dos ministros do STF nas sessões anteriores.

Há um entendimento majoritário no Supremo de que a corrupção passiva acontece quando existe a possibilidade de utilização do cargo para recebimento de pagamentos indevidos, mesmo que não se realize o ato corrupto. Os saques na boca do caixa do Banco Rural foram comprovados por uma contabilidade paralela descoberta pela Polícia Federal, e todos os políticos já admitiram ter recebido o dinheiro através de pagamentos autorizados pelo lobista Marcos Valério. A alegação de todos é que se tratava de combinação partidária para pagamentos de gastos de campanha eleitoral, mas a maioria dos ministros já firmou a ideia de que não importa a destinação que o corrupto dá ao montante que recebeu, mas o fato de ter recebido.

Com isso, o álibi de que o dinheiro era caixa dois de campanha política, crime eleitoral menos grave, foi por água abaixo. Por outro lado, a maioria da corte já se acertou sobre o crime de lavagem de dinheiro, que era muito polêmico no plenário, a ponto de o deputado João Paulo Cunha ter sido condenado por seis a cinco.

Com a saída de Cezar Peluso, ficou majoritária, com folga, a tese de que a lavagem seja crime autônomo, e não parte da corrupção passiva como pensam alguns. Por maioria, agora de seis a quatro, ministros entendem que a tentativa de esconder recursos recebidos indevidamente caracteriza o crime de lavagem de dinheiro, deixando em minoria Rosa Weber, que defende ser parte da corrupção passiva.

O rigor com que os ministros tratam os crimes deste caso deve se refletir nos julgamentos das instâncias inferiores, onde tramitam diversos processos ligados ao mensalão, com acusados sem foro privilegiado. E também às investigações atreladas a outras questões políticas, como o mensalão do PSDB de Minas.

O que estamos vendo, portanto, parece ser o início de um processo punitivo que pode passar a limpo o sistema partidário brasileiro, um modelo falido, abrindo caminho para novos tempos, se não mais virtuosos, menos permissivos com os hábitos já enraizados na política brasileira.

[Quinta-feira, 20/9/2012]

As datas

Há duas datas importantes para o julgamento da primeira acusação contra o núcleo político do mensalão, formado pelo ex-chefe da Casa Civil José Dirceu, o ex-presidente do PT José Genoino e o ex-tesoureiro petista Delúbio Soares.

A primeira é o dia 26 de setembro, na qual o plenário do Senado, num esquema de esforço concentrado que não tem explicação, vai aprovar o novo ministro do Supremo Tribunal Federal Teori Zavascki. A outra é em 4 de outubro, dia da última sessão antes do primeiro turno da eleição municipal, a 7 de outubro.

Uma pode interferir na outra, intervenção que, se houver, produzirá um dos maiores escândalos políticos dos últimos tempos. Sendo aprovado pelo Senado, cuja sabatina é apenas formal, o novo ministro poderá estar apto a assumir seu cargo a ponto de pegar a primeira sessão do julgamento do mensalão de outubro, dia 1º, quando estará sendo julgado o ex-ministro José Dirceu, acusado de ser o chefe da quadrilha pelo procurador-geral da República e todos os demais réus dos núcleos político e operacional. Se pedir vista do processo, para se inteirar dele, o julgamento estará suspenso, em tese, por vinte dias, mas, na verdade, por tempo indeterminado.

Todas as informações são de que o futuro ministro não faria um papel desses, e deverá se abster de participar justamente por desconhecer o processo, mas o ritmo acelerado do Senado, incomum num período de recesso branco devido às eleições municipais, tem levantado suspeitas de que está em andamento uma manobra para permitir que Zavascki assuma o cargo no Supremo a tempo de integrar a fase decisiva do julgamento do mensalão.

Dependerá dele, e somente dele, não apenas a rapidez da posse — pela tradição, é o novo ministro que define a data — como a participação no julgamento. [Nota do Editor: indicado pela presidente Dilma Rousseff e aprovado pelo Senado, Zavascki seria formalmente nomeado em 31 de outubro e tomaria posse em 29 de novembro de 2012, sem participar do julgamento do mensalão.]

A decisão anunciada ontem pelo relator Joaquim Barbosa, em comum acordo com o revisor Ricardo Lewandowski, de deixar para o final a parte referente aos acusados de corrupção ativa significa que a votação dos demais ministros sobre os políticos do PP, PTB, PMDB e PR envolvidos no mensalão, acusados de corrupção passiva e lavagem de dinheiro, será realizada, na melhor hipótese, na quarta-feira dia 26, podendo se prolongar até a quinta, 27. Isso quer dizer que o núcleo político ligado ao PT será acusado de corrupção ativa na primeira semana de outubro, antes do primeiro turno, e a votação para eventuais condenações se dará nas semanas entre o primeiro e o segundo turnos.

Essa divisão de temas proposta pelo relator, que o revisor Lewandowski comparou a "uma guerra", tem o objetivo de deixar claras todas as etapas do processo que Joaquim Barbosa descreve, assumindo quase que integralmente as acusações do procurador-geral.

A leitura de seu voto, que começou na segunda-feira e só deve terminar amanhã, é uma descrição detalhada do sistema montado, com requintes de sofisticação, para a compra de apoio político e lavagem de dinheiro por parte do núcleo operacional, com entregas de remessas de dinheiro em casa — um sistema *delivery*, como definiu sarcasticamente o presidente do Supremo Ayres Britto — e utilização de financeiras para a circulação camuflada dos recursos roubados.

Por isso, o deputado André Vargas, secretário de Comunicação do PT, criticou duramente mais uma vez o Supremo, dizendo que a transmissão ao vivo do julgamento do mensalão interfere na vida democrática brasileira, acusando o STF de não estar tendo um comportamento técnico e neutro.

Essa sistemática, descrita pelo relator Joaquim Barbosa detalhadamente, torna quase ridícula a frase do senador petista Jorge Viana, que, na tentativa vã de defender seu partido, disse da tribuna do Senado que os petistas foram "alunos mal aplicados" que tentaram repetir "o modelo profissional do PSDB e do PFL". Modéstia do orador. O esquema petista desenvolvido por Marcos Valério, ao contrário, foi aperfeiçoado a partir do que fora feito, na eleição de Minas, em 1998, para o PSDB.

Em escala nacional, e em quantidades maiores tanto de dinheiro quanto de pessoas envolvidas, o mensalão do PT está se mostrando uma sofisticada máquina de corrupção do Estado brasileiro montada para garantir o controle de um dos Poderes da República pelo Executivo.

[Sexta-feira, 21/9/2012]

Fantasias perigosas

Se a nota dos partidos aliados do governo petista fosse para repudiar as acusações feitas ao ex-presidente Lula, atribuídas pela revista *Veja* ao lobista Marcos Valério, estaria tudo certo. Agiriam dentro do limite de suas responsabilidades e direitos.

Mas quando partem para a insinuação de que a análise do mensalão pelo Supremo Tribunal Federal é parte de uma manobra da oposição, que quer fazer da ação penal 470 "um julgamento político, para golpear a democracia e reverter as conquistas que marcaram a gestão do presidente Lula", aí sim jogam contra a democracia, colocando em discussão os resultados de um julgamento realizado dentro das melhores práticas do Direito e da democracia. [Nota do Editor: o autor se refere à nota, divulgada em 20 de setembro de 2012, formulada pelo PT e assinada pelos partidos da base aliada ao governo — PMDB, PSB, PCdoB, PDT e PRB — em defesa do ex-presidente Lula, diretamente associado, segundo o que seriam revelações de Marcos Valério, ao escândalo do mensalão em reportagem publicada por *Veja* na edição de 16 de setembro.]

Seria cômico não fosse a revelação de uma situação política trágica, a tentativa de comparar o quadro atual com os golpes contra Getúlio Vargas ou Jango. Como se o julgamento do mensalão fosse uma conspiração da "elite conservadora" contra o governo popular de Lula.

Se não fosse pelo fato de que oito dos onze ministros do STF foram nomeados por administrações petistas, já não é possível vender a fantasiosa versão de que o mensalão não existiu, até porque, em muitos casos, como salientou ontem o presidente do STF, ministro Ayres Britto, os pagamentos foram realmente feitos mensalmente. Além disso, já está provado que foi montado um esquema sofisticado de compra de apoio político, descrito com detalhes pelo relator Joaquim Barbosa.

Mesmo que seja possível provar que algumas votações coincidiram com os pagamentos, e que, num belo trabalho de reconstituição, o relator tenha recuperado o ambiente político no início do primeiro governo de Lula, demonstrando que muitos partidos alvos do assédio governamental haviam apoiado o candidato da oposição na eleição presidencial, nada disso seria necessário.

Todos os réus, com uma ou outra exceção, já confessaram em juízo terem recebido dinheiro através de Marcos Valério, por recomendação de Delúbio Soares, o que, para o entendimento majoritário do Supremo, caracteriza a corrupção passiva, não importando se de fato cumpriram o que prometeram ao venderem seu apoio político. Como também não importa se gastaram o dinheiro em farras ou em pagamentos de custos de campanha, e até mesmo se doaram para obras de caridade. A corrupção passiva não se apaga com o destino dado aos recursos.

Soou estranho, portanto, o revisor Lewandowski dizer que não havia provas de que os políticos recebedores de dinheiro sabiam de sua origem criminosa. Ora, se o pegavam na boca do caixa sem os documentos bancários oficiais, e se alguns o recebiam até mesmo pelo sistema de *delivery*, em malas ou pacotes em casa e em hotéis, como não saber que tinha origem duvidosa?

Outra discussão que deve tomar conta do plenário quando chegar a hora de os ministros votarem, e que já foi antecipada, ontem, por Marco Aurélio Mello, é a lavagem de dinheiro. Joaquim Barbosa condenou todos os políticos até agora por corrupção passiva e lavagem de dinheiro, mas Lewandowski e Marco Aurélio discordaram, alegando que uma mesma pessoa não pode ser acusada por dois crimes pelo mesmo ato, que seria a corrupção passiva.

Até o momento não há novidade na disputa, pois, quando do julgamento do deputado João Paulo Cunha, a maioria do plenário já havia se posicionado a favor da tese de Barbosa. Ontem mesmo, o ministro Ayres Britto fez uma intervenção no sentido de apoiar o relator. Com o revisor, ficaram anteriormente os ministros Dias Toffoli, Rosa Weber, Cezar Peluso e Marco Aurélio Mello. Com a saída de Peluso, o plenário está com o placar de seis a quatro a favor da abordagem do relator, a não ser que algum ministro mude de posição durante o julgamento.

Esse será um tema que, ao que tudo indica, poderá gerar embargos infringentes mais adiante, na tentativa das defesas de mudar o entendimento do STF, aproveitando-se inclusive da nova formação, pois também Ayres Britto será substituído em novembro, fazendo com que o placar fique em cinco a quatro.

Os dois novos ministros podem teoricamente reverter a situação dos réus condenados por corrupção passiva e lavagem de dinheiro, retirando da pena final de três a dez anos de cadeia.

[Domingo, 23/9/2012]

Triste realidade

O relator do mensalão, ministro Joaquim Barbosa, fez uma análise crua de nosso sistema partidário em seu voto na última quinta-feira, que infelizmente não se refere apenas à época em que ocorreram os fatos que agora estão em julgamento.

Quase dez anos depois do primeiro governo Lula, a triste realidade é que continuamos a ter um quadro partidário fragilizado pela força exagerada do Poder Executivo. Se hoje já não existem "mensalões" como os de 2003 (espera-se), exacerbou-se o uso de ministérios e cargos como moeda de troca na política, de maneira que se banalizou a participação partidária na montagem de um governo, característica da coalizão. Segundo o relator Joaquim Barbosa em seu voto, "são amplamente conhecidas as complexidades das políticas partidárias brasileiras, pouco afeitas a compromissos das agremiações partidárias". Essa é uma das graves questões com que nos deparamos, a completa inexistência de um programa governamental que cimente a união de partidos em torno de objetivos comuns, ou até mesmo de metas pontuais, como seria o caso de um acordo com o Partido Verde para a implantação de uma política ambiental.

O que, no começo do primeiro governo Lula, resolveu-se com a simples e pura compra de apoio político, hoje, estourado o escândalo, resolve-se com cargos e nomeações. No fundo, é a mesma coisa. "(...) Afirmar que o recebimento de dinheiro em espécie não influencia o voto (...) é, a meu ver, posicionar-se a léguas de distância da realidade política nacional", comentou Joaquim Barbosa. Diante de fatos provados, o ministro concluiu que "os parlamentares utilizaram de seus cargos para solicitar vantagem indevida ao PT, e receberam".

O comentário do ex-deputado Paulo Rocha, um dos réus do mensalão, é bastante sintomático de uma maneira de ser político instituída no Brasil. Ele admite que houve empréstimos fraudulentos, que houve "repasses", mas alega que tudo foi feito para pagamentos de dívidas de campanha.

Neste julgamento, já foi estabelecido um consenso entre os ministros: não importa a destinação do dinheiro, a corrupção aconteceu da mesma maneira. Nas palavras de Joaquim Barbosa: "(...) podem ter utilizado (o dinheiro) de qualquer maneira, em campanhas, em caixa dois, como para fins de enriquecer pessoalmente ou para distribuir mesada a parlamentares de seus partidos ou para atrair deputados de outros partidos para suas bancadas, conforme a CPI dos Correios, o que significa que o dinheiro foi solicitado e foi recebido."

Ou, mais cruamente, disse Barbosa, "os parlamentares funcionavam como mercadorias nesse caso". O próprio julgamento do mensalão, com a punição dos responsáveis por esse episódio degradante, pode ser um dos muitos passos dados na direção certa.

A Lei da Ficha Limpa, por exemplo, pode ser considerada um marco nessa caminhada, assim como a cassação de Demóstenes Torres. [Nota do Editor: Demóstenes Torres (ex-DEM), conforme exposto por gravações da Polícia Federal, mantinha relações impróprias com o contraventor Carlos Cachoeira, para cujos interesses se valia da posição de senador da República, cargo de que foi cassado em 10 de julho de 2012.] Não é por acaso que o Tribunal Superior Eleitoral promove a campanha do "voto limpo" na televisão, como maneira de estimular o eleitor a fazer sua escolha com base em valores éticos que muitas vezes são preteridos em favor de um "voto pragmático", que pode ser a raiz de um Congresso que mercadeja sua função.

Imunidade está deixando de ser impunidade.

[Terça-feira, 25/9/2012]

O voto e o fato

O ministro revisor do processo do mensalão no Supremo Tribunal Federal, Ricardo Lewandowski, já condenou vários políticos, de diferentes legendas partidárias, por crime de corrupção passiva, o que pressupõe que tenha um culpado, ou culpados, do crime de corrupção ativa que será julgado em seguida, pegando o núcleo político do caso, composto pelo ex-ministro José Dirceu, o ex-presidente do PT José Genoino e o ex-tesoureiro petista Delúbio Soares.

Ao contrário do que fez em relação ao deputado João Paulo Cunha, a quem absolveu de todos os crimes — corrupção passiva, peculato e lavagem de dinheiro —, no voto deste item o ministro Lewandowski condenou vários réus políticos por corrupção passiva, o que deixa pouca margem para a aceitação da tese de caixa dois. No caso do deputado petista, o ministro alegou, em conversa comigo depois da votação, que poderia caracterizar "um outro crime que não está na denúncia", deixando no ar se seria crime eleitoral ou até mesmo tributário. [Nota do Editor: a conversa entre o autor e o ministro é tema do texto *As razões de Lewandowski*, publicado à página 74 deste livro.]

Se, no entanto, insistir na teoria, que já esboçou anteriormente ao julgar o deputado João Paulo Cunha, de que o que houve foi um crime eleitoral de financiamento de caixa dois de campanha, estará diante de uma impossibilidade na visão do ministro Marco Aurélio Mello, que tem interpretações bastante próprias, e quase sempre apropriadas, dos textos legais e do regimento interno do Supremo Tribunal Federal. Para ele, se a linha de acusação for a da defesa, não é possível condenar os réus do mensalão por corrupção passiva, pois "os institutos não se confundem".

O ministro relator Joaquim Barbosa, mesmo acreditando que não é necessário o "ato de ofício" para caracterizar corrupção passiva, assume a acusação de os réus terem se vendido em troca de apoio político ao governo federal. Para Lewandowski, a corrupção passiva exige apenas a demonstração de recebimento ou oferecimento da vantagem ilegal ao parlamentar ou servidor. Já Marco Aurélio Mello diz que o caixa dois é um crime regido pelo Código Eleitoral, que não se mistura com um regido pelo Código Penal. Por isso, lembra Marco Aurélio, os advogados admitiram da tribuna o delito eleitoral, porque já estariam prescritos.

Nesse caso, não seria possível dar as penas aos acusados por corrupção passiva se a maioria do plenário do STF seguir o revisor e considerar que o que houve foi mesmo um crime eleitoral.

Saberemos apenas no voto do ministro revisor sobre a atuação do núcleo político qual a sua interpretação para os fatos que estão sendo julgados.

Caberá aos ministros, na votação que deve começar amanhã, encaminhar a decisão do Supremo para uma conexão de causa e efeito entre a corrupção passiva e a compra de apoio político ao governo no Congresso, ou enveredar pelo caminho nebuloso do financiamento eleitoral através do caixa dois, que parece cada vez mais estreito e improvável, e que poderá provocar o conflito enxergado por Marco Aurélio.

[Quinta-feira, 27/9/2012]

À flor da pele

À medida que se aproxima o momento de julgar o núcleo político petista do mensalão — ex-ministro José Dirceu, ex-presidente do PT José Genoino e ex-tesoureiro Delúbio Soares — os ânimos vão ficando exaltados no plenário do Supremo Tribunal Federal, como vimos ontem em mais um, e talvez o mais acalorado, bate-boca entre os ministros Joaquim Barbosa e Ricardo Lewandowski, respectivamente relator e revisor do processo.

Os dois encarnam maneiras diferentes de encarar os fatos narrados nos autos, e Barbosa se considera o responsável maior pelo encaminhamento do julgamento, legando a Lewandowski lugar secundário. Ontem, por exemplo, Barbosa deixou escapar esse sentimento ao afirmar que é "absolutamente heterodoxo que um ministro meça o voto de um relator para fazer o voto do mesmo tamanho". De gênio irascível, Barbosa considera ataque pessoal as discordâncias do revisor, como no caso de Emerson Palmieri, dirigente do PTB, que condenara por corrupção passiva e lavagem de dinheiro, e que Lewandowski absolveu: "Mas os autos dizem taxativamente que recebia o dinheiro. Está na lista feita por Marcos Valério e confirmada por Delúbio Soares, e isso vai de encontro ao que disse no meu voto", revoltou-se Barbosa diante das incertezas do revisor.

E acrescentou, passando do razoável: "Não podemos fazer vista grossa ao que está nos autos." Marco Aurélio Mello chamou a atenção de Barbosa em vários momentos da sessão, pedindo que medisse as palavras. O fato é que o relator, por mais que pressinta nas intervenções de Lewandowski intenções ocultas, não deveria perder o controle, pois só ajuda a quem quer prolongar o julgamento e cria ambiente de hostilidade contra si.

Mesmo convencido de que os crimes aconteceram, tem de aprender a conviver com as posições contrárias, por mais sem sentido que lhe pareçam, ou mesmo mal-intencionadas. Houve momento em que deixou bem clara essa sua desconfiança quando disse: "Não podemos admitir hipocrisia."

Quando Lewandowski afirmou, com a voz mais serena do mundo, que sua "análise vertical" dos autos lhe dava razão, e que já demonstrara "o cuidado" que teve "na leitura destes autos", Barbosa foi à loucura, sentindo-se objeto de críticas do revisor, que sempre nega essa intenção com expressão de quem está consternado com a situação criada pelo colega.

Ontem mesmo, disse que não sabia se conseguiria continuar lendo seu voto, tal o constrangimento que sentia. Por mais que tenha razão em discordar, Barbosa não tem o direito de se irritar com posições divergentes, nem do revisor nem de outros ministros. Se não conseguir convencer seus pares, não há nada a fazer a não ser aceitar a decisão da maioria.

No caso da viagem a Portugal de Marcos Valério, Rogério Tolentino e Emerson Palmieri, para reunião com o presidente da Portugal Telecom, Barbosa tem toda a razão em chamar a atenção para a estranha excursão, a mando do ex-ministro José Dirceu. Lewandowski procurou desqualificar a importância de Palmieri no PTB e da própria viagem. As informações que constam dos autos são no sentido de que a viagem tinha como objetivo levantar dinheiro para o PTB a partir de negócios de Marcos Valério com a Portugal Telecom e a Telemig, mas Lewandowski tratou-a como sendo do interesse particular de Valério, para manter contratos de publicidade que tinha com a Telemig.

Se fosse assim, por que um político do PTB faria parte do grupo, e por que os três iriam a Portugal "um juntinho do outro", como lembrou o presidente Ayres Britto, numa demonstração de que as passagens foram compradas juntas, pela mesma pessoa? A viagem é, sem dúvida, "esdrúxula" e faz parte do conjunto probatório do esquema do mensalão, mas Lewandowski, no seu voto, tentou desconstruir a importância de Palmieri no PTB: "Émerson era uma pessoa, podemos dizer, onipresente. Era como 'a alma' do partido. Aquelas pessoas que sabem de tudo, conhecem todos os documentos que dizem respeito aos mais variados assuntos..."

Mas, no entanto, nada sabia dos negócios em Portugal, nem nunca pegou em um tostão dado ao partido pelo esquema do mensalão. Essa, por sinal, é a mesma alegação da defesa dos réus petistas José Dirceu e José Genoino.

[Sexta-feira, 28/9/2012]

Pontos divergentes

Lavagem de dinheiro e formação de quadrilha são os dois pontos que dominaram a atenção dos juízes do Supremo Tribunal Federal neste 29º dia de julgamento do processo do mensalão, pontos que podem ser decisivos na definição final sobre o núcleo político petista, acusado de comandar o esquema criminoso, especialmente o ex-ministro José Dirceu, definido como o "chefe da quadrilha" pelo Ministério Público.

As ministras Cármen Lúcia e Rosa Weber, por enquanto em minoria nesse item, abriram divergência com o relator e o revisor afirmando que não houve formação de quadrilha no esquema do mensalão. Ambas alegaram em seus votos que a formação de quadrilha ou bando se define pela associação permanente para a prática de crimes. Para Rosa Weber, o que caracteriza esse tipo de delito "não é a perturbação da paz pública em si", mas a decisão "de sobreviver à base dos produtos auferidos em ações criminosas indistintas".

Acompanhando a divergência, a ministra Cármen Lúcia disse que o que caracteriza o delito de quadrilha é a prática de "crimes em geral, o que não vislumbrei". Para ela, a acusação do Ministério Público de que o esquema previa "pequenas quadrilhas com outras quadrilhas" não convence, e o que houve foi "reunião de pessoas para práticas criminosas, mas para atender a vantagens específicas de alguns réus, e não para atingir a paz social".

Por essa definição do que seja "formação de quadrilha", é de se supor que as duas ministras verão da mesma forma a acusação contra o núcleo político do PT nesse ponto específico. Esse crime, porém, tem penas pequenas, de um a três anos, e sua inexistência eventual não deve influenciar muito na condenação final dos réus considerados culpados.

Mas, se for vencedora, essa tese fará perder força a acusação inicial da Procuradoria-Geral da República, que define José Dirceu como o "chefe da quadrilha", embora nada impeça que os membros do núcleo político sejam considerados responsáveis pela corrupção ativa dos parlamentares, em regime de coautoria, e não de quadrilha. Haverá também a redução da carga política pejorativa que a expressão "chefe da quadrilha" faz o ex-ministro José Dirceu carregar.

A outra causa de controvérsias no Supremo tem sido a lavagem de dinheiro, embora o único caso em que houve placar apertado tenha sido o do deputado federal João Paulo Cunha, condenado por seis a cinco. Nos demais resultados, não houve um mínimo de quatro votos absolutórios até o momento para abrir caminho a embargos infringentes que, em tese, podem provocar um novo julgamento pelo próprio STF.

A discussão entre os ministros é sobre se a condenação por corrupção passiva já engloba o ato de esconder o dinheiro, perfazendo um crime só, ou se a tentativa de ocultar a propina caracteriza lavagem de dinheiro. Alguns casos foram fáceis de definir, quando o réu enviou alguém em seu lugar para receber o montante ou se utilizou de mecanismos financeiros para escamotear esses recursos, como nos casos do uso das corretoras Bonus-Banval ou Garanhuns, em que houve concordância sobre a caracterização de lavagem de dinheiro.

Mas houve questionamentos também sobre se determinado réu tinha noção de que a origem daquele dinheiro era ilegal, fato básico para haver a intenção de lavá-lo.

Embora pareça improvável que qualquer um dos envolvidos num esquema dessa dimensão não soubesse que estava envolvido em uma tramoia, houve ministros que, em dúvida, votaram a favor da absolvição do réu. Mesmo que atitudes como essas irritem o relator Joaquim Barbosa, são elas que definem a independência do Supremo. Mesmo as discussões mais evitáveis servem para demonstrar que ali, naquele colegiado, cada cabeça é uma sentença, e todos têm a liberdade de discordar.

Essas divergências de entendimento sobre a caracterização de crimes fazem com que os resultados de dez a zero ou de oito a dois na condenação dos réus, como tem acontecido com frequência durante este julgamento, sejam fruto de um consenso nascido da jurisprudência da corte, o que faz com que as críticas eventuais percam força diante de maioria tão acachapante.

Esses placares tão definitivos servem também para evitar embargos infringentes, que poderiam retardar a execução das eventuais penas aos réus.

[Domingo, 30/9/2012]

O pós-mensalão

Os ministros do Supremo estão imbuídos do compromisso de aperfeiçoar os costumes eleitorais brasileiros, e tem de ser entendida nesse contexto a dureza com que analisam o processo do mensalão. Já o procurador-geral da República, Roberto Gurgel, ao definir o caso como um atentado à democracia brasileira, havia tratado do tema nessa perspectiva institucional, e por isso classificou de "quadrilha" a associação de políticos e empresários para a compra de apoio no Congresso. Ao decidir por tal ação, o comando político do PT optou por desqualificar as negociações partidárias, retirando-as do plano programático para o meramente fisiológico.

Esterilizar a política, transformando-a em pura ação de compra e venda, é uma maneira de colocar em risco a paz social a que se referiram as ministras Rosa Weber e Cármen Lúcia como sendo uma das características da "quadrilha" que não detectaram no presente processo. As ministras trataram o caso do ponto de vista estrito do cometimento de crimes previstos no Código Penal, e não levaram em consideração os aspectos institucionais a que outros ministros deram relevo.

Por enquanto, a condenação por formação de quadrilha tem a maioria dos votos já pronunciados, mas, mesmo que ao final prevaleça o entendimento das ministras, isso não quer dizer que os futuros réus a serem julgados, especialmente os que compõem o núcleo político do esquema criminoso, estejam livres das acusações. Podem ser condenados por corrupção ativa como coautores.

O caráter pedagógico da atuação do Supremo Tribunal Federal pode ser mais bem entendido pelo pronunciamento da ministra Cármen Lúcia, que também é presidente do Tribunal Superior Eleitoral (TSE), ao dar seu voto. Ela lamentou, às vésperas das eleições municipais, que a corrupção tenha a consequência de desiludir o eleitor, especialmente os mais jovens. Do ponto de vista filosófico, destacou que a ética é o contraponto ao caos, assim como a política é a opção civilizada à guerra.

Ao político caberia mais cuidados éticos do que ao cidadão comum, pois aquele está "cuidando da coisa de todos. E um malefício, um prejuízo no espaço político, principalmente de corrupção, significa não que alguém foi furtado de alguma coisa, mas que uma sociedade inteira foi furtada". Na prática, a ministra chamou a atenção para a dificuldade de nosso modelo político-partidário, colocando em discussão uma questão que terá de ser enfrentada pelos políticos na era pós-mensalão.

Condenados os culpados e absolvidos os considerados inocentes, estaremos diante do desafio de reorganizar a vida política de maneira a superar mazelas expostas no processo em julgamento e que aparecerão em outros que se seguirão, do próprio esquema do mensalão, em outras instâncias, ou o do PSDB mineiro.

A legislação da fidelidade partidária, por exemplo, que foi decidida no próprio STF, recebeu dos ministros tratamento mais rigoroso para a troca de partidos a partir das evidências de compra de mandatos. O financiamento de campanhas é outro assunto que precisa ser revisto sob o novo espírito de rigor que está saindo das decisões do STF.

E o próprio quadro partidário precisa ser reorganizado, com melhor avaliação sobre direitos e deveres de partidos que têm representação no Congresso e daqueles que não atingem a votação mínima.

As coligações proporcionais têm o condão de distorcer a escolha do cidadão, e sua proibição teria o efeito de reduzir o número de partidos com representação parlamentar, ou até mesmo de desestimular aventuras. Também a distribuição de tempo de propaganda eleitoral gratuita no rádio e na TV, durante ou fora do período eleitoral, é outro assunto que deve ser discutido à luz da necessidade de desfavorecer essa troca de minutos por apoios políticos sem base programática mínima.

Esses são assuntos paralelos ao processo do mensalão que precisam ser analisados pela classe política, que também está em julgamento neste momento. O desfile de falcatruas envolvendo as mais diversas legendas é demonstração de que alguma coisa precisa ser feita.

[Terça-feira, 2/10/2012]

Visão republicana

O trigésimo dia do julgamento do mensalão pelo Supremo Tribunal Federal trouxe duas definições fundamentais para o aperfeiçoamento da democracia brasileira: a maioria do plenário formalizou o entendimento de que houve compra de apoio político no Congresso por parte do Executivo, e o ministro Celso de Mello denunciou que essa prática, inaceitável, coloca em risco o equilíbrio entre os poderes da República.

O decano do STF pronunciou um dos votos mais importantes não só do processo em julgamento, mas da história do STF, definindo que "o Estado brasileiro não tolera o poder que corrompe e nem admite o poder que se deixa corromper". Também o presidente da corte, Carlos Ayres Britto, deu a dimensão da gravidade do esquema criminoso julgado ao concordar que é representativo "de poder ideológico partidário", acontecendo "mediante a arrecadação mais que ilícita, criminosa, de recursos públicos e privados para aliciar partidos políticos e corromper parlamentares e líderes partidários".

Os dois votos, e mais o de Marco Aurélio Mello, deram a maioria do plenário à tese de que o que houve foi a compra de apoio político, e não caixa dois eleitoral, tese que só o revisor Ricardo Lewandowski abraçou explicitamente. Até mesmo Dias Toffoli, que, nos tempos em que trabalhava para o PT, disse que o mensalão ainda estava "para ser provado", admitiu que ocorreu compra de votos no caso do PL. Joaquim Barbosa, Luiz Fux e Gilmar Mendes foram taxativos quanto à compra de votos, e Rosa Weber aderiu à tese de modo indireto: afirmou que seguia integralmente o voto do relator.

O mais importante do dia, porém, foi mesmo o voto de Celso de Mello, pelo enquadramento do objeto do julgamento na ótica da preservação da República. Ao votar a favor do crime de quadrilha, ampliou a interpretação, equiparando a "ameaça à paz social" feita pelos bandidos à insegurança provocada por "esses vergonhosos atos de corrupção parlamentares profundamente levianos quanto à dignidade e à respeitabilidade do Congresso Nacional".

O decano defendeu que tais atos "devem ser condenados e punidos com o peso e o rigor das leis desta República", pois "afetam o cidadão comum, privando-o de serviços essenciais, colocando-os à margem da vida". Essas ações "significam tentativa imoral e ilícita de manipular criminosamente, à margem do sistema funcional, o processo democrático, comprometendo-o". Fez questão de sublinhar a gravidade da situação ao definir como especialmente culpados "aqueles que ostentam ou ostentaram funções de governo". Para ele, tal atividade "maculou o próprio espírito republicano".

Sem referência explícita, Celso de Mello, no entanto, deixou claro o que pensa do governo que abrigou tal esquema de corrupção: "(...) Este processo criminal revela a face sombria daqueles que, no controle do aparelho de Estado, transformaram a cultura da transgressão em prática ordinária e desonesta de poder, como se o exercício das instituições da República pudesse ser degradado a uma função de mera satisfação instrumental de interesses governamentais ou desígnios pessoais."

Para exemplificar o que considera como o oposto do que ocorreu no país, recorreu ao professor Celso Lafer, segundo quem, "numa República, o primeiro dever do governante é o senso de Estado, vale dizer, o dever de buscar o bem comum e não o individual ou de grupos". Mello disse que "o cidadão tem o direito de exigir que o Estado seja dirigido por administradores íntegros e por juízes incorruptíveis". Em algumas ocasiões de sua fala, apontava para cima ao se referir às altas esferas do Poder Público que estariam envolvidas no esquema criminoso: "(...) quem tem o poder e a força do Estado em suas mãos não tem o direto de exercer (o governo) em seu próprio proveito."

Com o estabelecimento de que houve compra de apoio político num esquema sofisticado, com o objetivo de distorcer o funcionamento da democracia brasileira em favor do Executivo, o Supremo parte agora para a definição de quem arquitetou tamanho plano — de que são acusados os petistas José Dirceu, José Genoino e Delúbio Soares — e, sobretudo, quem entre eles detinha o "domínio do fato".

[Quarta-feira, 3/10/2012]

Hora da definição

O Supremo Tribunal Federal entra hoje na parte mais delicada do julgamento do mensalão, quando serão analisadas as participações do núcleo de comando petista na compra de apoio político no Congresso. Chegou a hora de definir se o ex-ministro José Dirceu foi mesmo o "chefe da quadrilha", como acusa o procurador-geral da República, e qual o papel dos demais integrantes do núcleo, o ex-presidente do PT José Genoino e o ex-tesoureiro Delúbio Soares.

O quarto membro da "quadrilha" era o ex-secretário-geral Silvinho Pereira, que preferiu fazer um acordo a ser julgado. Hoje paga em serviços comunitários suas dívidas, mas não se submete ao julgamento nem corre o risco de ir para a cadeia.

A parte mais grave politicamente já foi superada pelo Supremo, que, por ampla maioria, definiu que houve, sim, desvio de dinheiro público — o que já invalidava a tese do caixa dois eleitoral, pois, como lembrou o presidente do STF, ministro Ayres Britto, não pode haver caixa dois com recursos públicos — e que tal dinheiro serviu para comprar apoios no Congresso no primeiro governo Lula. O presidente da corte, ao dar seu voto na segunda-feira, fez análise de como um juiz pode chegar a uma decisão final em casos como este, rebatendo críticas de que o STF está inovando em sua jurisprudência.

Com a palavra, Ayres Britto: "Somente se chega ao conjunto da obra delituosa pela autopsia ou reconstrução dos fatos, gradativamente analisados. Só depois de obtido o visual do infragmentado, que o juiz faz o caminho de volta (...). Mais que isso, esse vai e vem analítico é que permite a conclusão que determinada ação humana ou omissão apenas faz sentido dentro de um contexto, um cenário, um panorama, enfim (...). Parafraseando Eugênio Floriano, é dentro de um quadro geral de investigação que o resultado particular pode ganhar um significado distinto daquele que seria dado por efeito de um caso analisado. Este é, em linhas gerais, o substrato factual jurídico ou o pano de fundo empírico-normativo da presente ação penal (...). Os fatos aconteceram de modo entrelaçado com a maior parte dos réus (...). Prova direta, válida e obtida em juízo. Prova indireta ou indiciária ou circunstancial, colhida em inquéritos policiais, parlamentares e em processos administrativos abertos e concluídos em outros poderes públicos, como Instituto Nacional de Criminalística e o Banco Central da República (...). Provas circunstanciais indiretas, porém, conectadas com as provas diretas. Seja como for, provas que foram paulatinamente conectadas, operando o órgão do Ministério Público pelo mais rigoroso método de indução, que não é outro senão o itinerário mental que vai do particular para o geral. Ou do infragmentado para o fragmentado."

Chega agora a hora apropriada para definir quem comprou esses votos, e não há muito que discutir sobre a atuação de Delúbio juntamente com Marcos Valério. O que é preciso saber é até onde vai a cadeia de comando, pois é evidente que o ex-tesoureiro não tem capacidade de engendrar ação tão sofisticada quanto a que foi posta em prática, nem tinha poder político para assumir o desvio público de dinheiro em diversas áreas governamentais. O procurador-geral indica José Dirceu como o homem por trás dos fatos, ou aquele que detinha o "controle final do fato", isto é, quem tinha o poder de parar a ação ou autorizar sua concretização.

Costumava-se dizer que não há, nos autos, prova concreta alguma contra Dirceu, e que, portanto, dificilmente seria condenado. Com dois meses de julgamento, porém, vemos que as provas testemunhais e indiciárias ganharam importância dentro desse processo, e o procurador-geral afirma que há elementos em profusão contra o ex-ministro petista.

Há testemunhas de que ele era quem realmente mandava no PT então e de que foi o organizador da reunião em Lisboa entre Portugal Telecom, Valério e um representante do PTB. Também há indícios claros da relação que mantinha com os bancos Rural e BMG, desde encontros com a então presidente do Rural, Kátia Rabello, até o emprego dado à sua ex-mulher no BMG e o empréstimo concedido para compra de apartamento.

Seguindo tal raciocínio, o relator Joaquim Barbosa deve centrar seu voto na culpabilidade de Dirceu e de Delúbio, e pode pedir pena menor para Genoino, alegando que era só presidente de fachada, pois quem mandava mesmo no PT era o ex-ministro da Casa Civil de Lula.

[Quinta-feira, 4/10/2012]

O papel do revisor

Contrariando seu comportamento ao longo de todo o julgamento, o ministro revisor Ricardo Lewandowski fez, questão de começar a votar ontem mesmo, ao final do voto do relator, com o objetivo, que alcançou, de marcar um contraponto ao voto de Joaquim Barbosa.

Não será surpreendente se, hoje, Lewandowski ocupar boa parte da sessão, se não toda, para definir a não participação do ex-ministro José Dirceu no caso do mensalão. Lewandowski agiu com insuspeitada rapidez, e possivelmente voltará agora aos seus longos votos, simplesmente com o objetivo de não deixar o noticiário ser dominado pela condenação em massa do relator. Se os primeiros votos dos demais ministros não forem dados hoje — ou se poucos deles forem proferidos —, não haverá decisão definitiva antes das eleições de domingo.

O voto a favor de Dirceu é inferência lógica da absolvição de José Genoino e da condenação de Delúbio Soares. O revisor caminha para pôr toda a culpa do ocorrido em Delúbio, como se o PT fosse partido sem comando, em que o tesoureiro se responsabilizasse por toda sorte de falcatruas e corrupções já apuradas durante o processo em julgamento.

Se Genoino, que assinou os empréstimos falsos do PT, não tem culpa alguma, o que dizer do ex-ministro-chefe da Casa

Civil, que se declara, na sua defesa, completamente alheio ao que acontecia no partido que até então dominava politicamente e do qual fora presidente antes de assumir o posto de "capitão" do time de Lula que chegava ao Palácio do Planalto?

Lewandowski, na defesa de sua posição, que, indicam os votos anteriores, está isolada no plenário do STF, praticamente acusou seus confrades e confreiras de julgar com base em teses não comprovadas nos autos, atribuindo ao plenário da corte atitudes que usualmente têm sido apontadas pelos advogados dos réus e pelos grupos petistas na política e na mídia. A tal ponto que Marco Aurélio Mello sentiu-se obrigado a ironizar a atitude do colega, dizendo, entre sorrisos, que estava "quase" se convencendo de que o PT não comprara votos.

Duas teses de Lewandowski para absolver Genoino não encontram respaldo nos fatos. Afirmar que o aval que deu aos empréstimos era "moral" significa que não valia, e é de se perguntar qual banco emprestaria altas somas de dinheiro com base apenas em chancela informal. Além do mais, alegar que o estatuto partidário o obrigava a assinar os empréstimos é, *data venia*, uma falácia. A assinatura do presidente do partido é exigida justamente para que o tesoureiro não tenha a possibilidade de agir sozinho, como quer provar o revisor. Ao presidente Genoino cabia recusar-se a subscrever tal documento se não estivesse convencido da legitimidade da transação.

Como o STF, por maioria, já deliberou que os empréstimos foram fraudulentos, de nada vale a presumida boa intenção de Genoino e muito menos o documento de quitação da dívida oito anos depois, apresentado dias antes do início do julgamento. Mesmo assim, quem chamou a atenção para as datas foi o presidente do Supremo, Ayres Britto, pois o revisor mostrara o documento, como prova do pagamento, sem especificar quando fora feito. Joaquim Barbosa rebateu a nova tese do revisor afirmando que não se pode dar crédito a documento do Banco Rural.

Houve momento no voto de Lewandowski em que uma afirmação sua foi contestada por dois ministros. Foi quando disse que o corréu Roberto Jefferson não havia confirmado em juízo as afirmações que fizera anteriormente, em entrevistas e na CPI dos Correios. Luis Fux perguntou se o revisor dizia que Jefferson negara em juízo todas as acusações que fizera, e Lewandowski saiu pela tangente, alegando que o líder do PTB fora "reticente". Foi a vez então do presidente do Supremo lembrar-lhe de que há nos autos a confirmação de Jefferson diante do juiz, ao que Lewandowski opôs que seria confirmação apenas formal, não corroborada pelas declarações seguintes, sempre vagas, segundo ele.

De fato, foi dia sem surpresas, com o relator condenando quase todos os envolvidos no caso, e o revisor tentando livrar o ex-presidente do PT José Genoino de responsabilidades, encaminhando o voto para absolvição do ex-ministro José Dirceu.

[Sexta-feira, 5/10/2012]

Condenação encaminhada

O plenário do Supremo Tribunal Federal encaminhou ontem a condenação do ex-ministro José Dirceu por corrupção ativa, já tendo votado assim três ministros — Joaquim Barbosa, Rosa Weber e Luiz Fux — e vários outros se pronunciado, em comentários paralelos, no mesmo sentido.

Tudo indica que o ex-presidente do PT José Genoino terá igual caminho, apesar do revisor, que já o absolveu. Em vários momentos, Lewandowski foi contestado, sem que qualquer ministro aparecesse para apoiá-lo. No afã de absolver também José Dirceu, fez uma confusão em seus papéis e leu o texto que preparara para abrir seu voto, quando ainda esperava que Dirceu fosse o primeiro réu a ser julgado. Com isso, falou como se o Supremo não tivesse já decidido que houve, sim, compra de votos e desvio de dinheiro público.

Como, nestes dois meses, vários réus já foram condenados por maioria do plenário por crimes de corrupção passiva e ativa, com o próprio Lewandowski tendo condenado alguns nos dois casos, ficou no ar uma contradição que foi registrada pelo ministro Gilmar Mendes: "Vossa Excelência condena alguns deputados por corrupção passiva, entendendo que houve repasses de recursos para algum ato, provavelmente de apoio político. Também em seu voto condena Delúbio Soares como corruptor ativo. Não está havendo uma contradição?"

A defesa de Dirceu feita pelo revisor do processo foi até mesmo mais enfática em alguns momentos que a apresentada por seu advogado, e para isso sequer evitou criticar seus próprios colegas de Supremo, sugerindo mais uma vez que o julgamento é feito à base de ilações e induções, sem que haja provas objetivas para condenar Dirceu.

Seu voto foi contestado diversas vezes por vários ministros, como quando Marco Aurélio Mello lembrou que o lobista Marcos Valério avalizara um dos empréstimos ao PT, o que provaria que sua relação com o então presidente do partido, José Genoino, não era tão eventual quanto fizera crer o político que Lewandowski absolveu. O revisor chegou a negar esse fato, mas o presidente do STF, Ayres Britto, foi aos autos e encontrou o aval de Valério, desmontando uma das teses de Lewandowski.

Marco Aurélio Mello também estranhou que o revisor tivesse condenado apenas Delúbio Soares, absolvendo Genoino e Dirceu. Ironicamente, perguntou: "Vossa Excelência imagina que um tesoureiro de partido político teria essa autonomia?"

Ele também foi desautorizado nos debates jurídicos que propôs, pois colocou em discussão a teoria do domínio do fato, referindo-se a uma declaração de Claus Roxin, apontado como seu formulador, que estaria preocupado com seu uso indiscriminado em julgamentos "banais", como Lewandowski classificou o processo do mensalão. Não apenas Celso de Mello corrigiu as informações do revisor, como lembrou que a tese do domínio do fato nascera, na verdade, nos anos trinta do século passado e fora aperfeiçoada com o tempo.

O presidente do STF havia lembrado que a tese é útil para analisar "aparatos organizados e governamentais", que englobam ações de grupos criminosos e também crimes políticos, como no caso. E criticou um comentário do revisor de que, nas artes e nos meios jurídicos, as teses chegavam ao Brasil com cinquenta anos de atraso.

Celso de Mello, o decano da corte, também se definiu quando Lewandowski questionou o fato de haver apenas réus na Câmara, como se isso fosse sinal de uma falha da acusação: "Compra-se a Câmara, mas não se compra o Senado?", perguntou Lewandowski. Ao que Celso de Mello rebateu que provavelmente não havia provas de compra de votos no Senado, deixando no ar sua desconfiança de que o esquema do mensalão seja maior do que o descoberto.

O revisor Lewandowski cometeu ainda um erro: todas as testemunhas a favor de Dirceu e Genoino que citou eram ou do PT ou ligadas aos partidos aliados envolvidos nas acusações, dando-lhes grande importância. Mas, quando surgiam depoimentos contrários, tratava de desqualificá-los, principalmente com relação ao corréu Roberto Jefferson.

O ministro Luiz Fux, entretanto, tratou de esclarecer a situação: o depoimento deste deveria ser levado em conta como se dado em juízo, pois Jefferson confirmou, perante um juiz, todas as acusações que fizera na CPI e em entrevistas.

[Sábado, 6/10/2012]

A defesa do STF

Entre os desserviços que o ministro Ricardo Lewandowski ora presta, talvez o mais nocivo seja a tentativa de desacreditar o STF nos seus comentários paralelos. Certa vez classificou o julgamento do mensalão como "nada ortodoxo", sugerindo que eram esquecidas jurisprudências e relegadas medidas de proteção aos réus definidas na lei.

Ao anunciar, na abertura de seu voto, que absolveria o ex-ministro da Casa Civil José Dirceu, que se punha ao lado de "princípios fundamentais" do processo penal moderno, que se constituiu em "marco civilizatório importantíssimo, instrumento de defesa do cidadão contra o arbítrio do Estado", Lewandowski atirava sobre seus pares a suspeita de que não seguiam as mesmas regras ao condenar "inocentes" como José Genoino e Dirceu. Chegou a dizer "repudiar a perspectiva que considera o réu como inimigo". Esquecendo-se de que os réus, esses sim, representavam o "arbítrio do Estado", pois faziam parte fundamental do governo petista sob o qual a trama criminosa foi armada e executada, segundo a denúncia, a partir de gabinetes do Planalto.

A maioria do plenário, no entanto, demonstra estar bastante convicta de suas posições, sendo exemplo disso os resultados acachapantes das condenações. E, sempre que podem, os ministros rebatem as insinuações de que estariam flexibilizando a legislação com inovações que reduziriam a garantia constitucional dos acusados.

O revisor declarou, em seu voto de anteontem, que a maioria teria decidido pela desnecessidade da indicação do ato de ofício para provar-se a culpa de um réu, no que foi prontamente rebatido por Gilmar Mendes, que afirmou que o STF identificara, sim, atos de ofício dos políticos acusados de corrupção passiva: os votos e a participação em reuniões. E Celso de Mello lembrou que o Ministério Público "indicou que todo esse comportamento se realizou no contexto, pelo menos, de duas grandes reformas: a previdenciária e a tributária".

Da mesma maneira, a condenação do ex-presidente da Câmara João Paulo Cunha por corrupção passiva teve por base o dinheiro recebido de Marcos Valério, tendo o petista praticado o "ato de ofício" de convocar a licitação que resultou na vitória da agência do publicitário corruptor.

Rosa Weber, mencionada pelo revisor como adepta da tese da desnecessidade de identificação do ato de ofício, afirmou considerar que houve, sim, compra de votos. Ela citou autores para defender a tese de que um réu pode ser condenado mesmo à ausência de provas testemunhais ou de documentos. Chegou a dizer que os indícios "gritam nos autos". Também esclareceu sua posição sobre maior elasticidade na admissão da prova em caso de delitos dessa natureza, os "crimes de poder", "que em absoluto implica em qualquer flexibilização de garantias constitucionais aos acusados". Para ela, "(...) o ordinário se presume. Só o extraordinário se prova. (...) se ocorrem fatos ou circunstâncias tão intimamente ligadas que chegam a formar um convencimento de que o acusado tenha cometido o crime, esses indícios também serão provas tão claras como a luz".

Luiz Fux lembrou acórdão da Suprema Corte de Portugal no sentido de que a prova nem sempre é direta. "Nós juízes nos valemos de regras de experiência. Será que nestas condições seria possível não saber?", ressaltou, lembrando que anteriormente Ayres Britto utilizara o mesmo raciocínio.

A sombra de Lula

Poucos notaram, mas, na quinta-feira, houve diálogo em que a figura do ex-presidente Lula esteve presente de maneira velada:

> Lewandowski: "Eu não via a prova. Eu gostaria de ver a prova. Estou dizendo que há uma prova frontalmente contrária."
> Marco Aurélio: "Vossa Excelência imagina que um tesoureiro de um partido político teria essa autonomia?"
> Lewandowski: "Ao contrário do que já foi dito, eu não acredito em Papai Noel, mas disse que é possível que eles tenham cooperado a mando de alguém, mas esse alguém precisa ser identificado."
> Marco Aurélio: "Esse alguém não estaria denunciado no processo?"
> Lewandowski: "Não, não é isso..."

[Quarta-feira, 10/10/2012]

Dirceu faz história

O dia histórico em que o ex-todo-poderoso ministro petista José Dirceu foi condenado por corrupção ativa pelo Supremo Tribunal Federal caracteriza-se pelas atitudes de dois ministros, ambas marcantes no transcurso do julgamento.

Dirceu entra para a história desta vez pela porta dos fundos, enquanto a ministra Cármen Lúcia diz que não está a julgar o passado de Genoino, também condenado, mas sua atuação nos crimes relatados nos autos. Cármen Lúcia, de quem Dirceu tinha esperanças de receber a absolvição, não apenas o condenou como registrou sua estupefação diante da defesa do advogado Arnaldo Malheiros, que tratou o que chamou de caixa dois eleitoral como uma coisa normal na atividade política.

O STF destruiu a trama, que o ex-presidente Lula defendeu até recentemente, de que o caixa dois explicaria a distribuição de dinheiro feita pelo PT, e ontem Cármen Lúcia, que, por coincidência, preside agora o Tribunal Superior Eleitoral, chamou a atenção para a desfaçatez do advogado que, diante da corte mais alta do país, confessou crime de seu cliente como se tal fato não gerasse consequências: "Não pode chegar aqui e dizer: 'Ora, não declarou porque era ilícito.' O ilícito não é normal. Ora, caixa dois é crime, é uma agressão à sociedade brasileira", reagiu, com indignação, a ministra, que declarou que essa atitude a convenceu de que o esquema montado era muito maior do que aparentava.

Já Marco Aurélio Mello demonstrou sua indignação através da ironia, como vem fazendo em vários momentos. Ele voltou a desmontar a tese do revisor Ricardo Lewandowski, segundo quem não havia assinatura de José Genoino em conjunto com Marcos Valério nos empréstimos. Marco Aurélio citou a página do processo em que havia o fac-símile do documento em que os dois aparecem juntos, Valério avalizando um título do PT assinado por seu presidente, Genoino.

A certa altura, sem resistir aos argumentos pífios do revisor, que transformara Delúbio Soares em maior responsável pelo esquema — nem mesmo Dias Toffoli, que também absolveu Dirceu, absolveu Genoino, elevando um pouco acima o nível de responsabilidade pelos crimes —, Marco Aurélio comentou: "Tivesse Delúbio Soares a desenvoltura intelectual e material a ele atribuída, não seria somente tesoureiro do partido. Quem sabe teria chegado a um cargo muito maior. Apontar Delúbio como bode expiatório como se tivesse a autonomia suficiente para levantar R$ 60 milhões, ele próprio definindo os destinatários, sem conhecimento da cúpula do PT? A conclusão subestima a inteligência mediana."

Definida a culpabilidade de Dirceu, Genoino e Delúbio, o chamado núcleo político do PT na ocasião dos crimes, ficará para o final a decisão sobre a pena de cada um. Quando chegar a ocasião em que o Tribunal estabelecerá os critérios, serão levadas em conta normas do Código Penal, que manda analisar a culpabilidade, os antecedentes, a conduta social e a personalidade do agente. É agravante, por exemplo, o fato de o crime ser cometido "com abuso de poder ou violação de dever inerente a cargo, ofício, ministério ou profissão".

Outro tipo de delito, pelo qual o núcleo político petista ainda será julgado, é o de formação de quadrilha. Já há quatro votos, em item anterior, contra a tese da quadrilha em relação aos políticos de partidos aliados envolvidos no julgamento. Caso se mantenha a posição dos demais ministros, Dirceu, Genoino e Delúbio deverão ser condenados por seis a quatro, o que lhes permitirá, em tese, embargos infringentes para questionar a decisão. Mas Dirceu, apontado pelo Ministério Público como o "chefe da quadrilha", pode ter a punição agravada, pois há uma disposição na legislação criminal em relação a quem "promove ou organiza a cooperação no crime ou dirige a atividade dos demais agentes".

O maior problema dos condenados por corrupção ativa é que foram acusados de "concurso material", o que significa que as penas são somadas. Dirceu, por exemplo, foi condenado por nove crimes. Assim, se pegar a mínima de dois anos (a máxima é de doze) — o que é improvável pela importância do cargo que exercia na ocasião —, deverá ser condenado a dezoito anos e terá de cumprir pena em regime fechado por pelo menos três anos.

[Quinta-feira, 11/10/2012]

Golpe contra a democracia

A democracia foi o centro da sessão de ontem do Supremo Tribunal Federal que formalizou a condenação do núcleo político do PT por corrupção ativa, com resultados que não deixam dúvidas sobre a decisão do plenário: apenas dois ministros absolveram o ex-ministro José Dirceu; só um absolveu o ex-presidente do PT José Genoino; e o ex-tesoureiro Delúbio Soares foi condenado por unanimidade.

No mesmo dia em que se conheciam as cartas em que Dirceu e Genoino não poupam elogios às suas próprias pessoas e se colocam como mártires de uma ação política perseguida por uma elite reacionária, os ministros do STF puseram os pontos nos *is*, demonstrando que o que está sendo condenado é uma tentativa de golpe contra a democracia brasileira.

Na definição do presidente do Supremo, Ayres Britto: "(...) sob a inspiração patrimonialista, um projeto de poder foi feito, não um projeto de governo, que é exposto em praça pública, mas um projeto de poder que vai além de um quadriênio quadruplicado. É um projeto que também é golpe no conteúdo da democracia, o republicanismo, que postula a renovação dos quadros de dirigentes e equiparação das armas com que se disputa a preferência dos votos."

Já Celso de Mello analisou que o ato de infidelidade ao eleitor estimulado por venalidade governamental, além de constituir "grave desvio ético-político e ultraje ao exercício legítimo do poder", acaba por gerar desequilíbrio de forças no Parlamento, tirando poder da oposição. Aqui, tocou em ponto crucial: a migração de políticos, à custa de pagamento com dinheiro público, da oposição para siglas da base, que cresceram às custas desses expedientes.

Hoje temos a menor oposição numérica desde a volta da democracia, e apenas três partidos assumem esse papel: PSDB, DEM e PPS. Os demais estão na base governista ou aspiram estar nela, como o novíssimo PSD. O que começou com a compra de votos em dinheiro, denunciado o esquema que hoje está em julgamento, passou a se dar através da entrega de ministérios e cargos em órgãos públicos, numa montagem de coalizão tão ampla quanto heterogênea, que só o exercício do poder une.

O presidencialismo de coalizão esteve na raiz das análises dos dois últimos votos pela condenação do núcleo político petista. A compreensão de que é preciso fazer negociações políticas para organizar base partidária que permita a governabilidade foi explicitada e admitida pelos ministros, mas a "maneira argentária" com que foram comprovadamente feitas no início do primeiro governo Lula, organizada por Dirceu e Genoino, foi considerada por Celso de Mello "um atentado ao Estado de Direito".

Para ele, essa maneira "subverte o sentido das funções, traduz gesto de deslealdade, compromete o modelo de representação popular e frauda a vontade dos eleitores, gerando como efeito perverso a deformação da ética de governo". Já para Ayres Britto, "com esse estilo de fazer política, excomungado pela lei brasileira, o resultado de cada eleição, naturalmente, seria alterado do ponto de vista ideológico".

Segundo Celso de Mello, "há políticos, governantes e legisladores que corrompem o poder do Estado, exercendo sobre ele ação moralmente deletéria, juridicamente criminosa e politicamente dissolvente". Lembrou famosa frase de Lord Ackton, historiador, político e escritor inglês do século XIX — "O poder tende a corromper, e o poder absoluto corrompe absolutamente" — para ressaltar "a falta de escrúpulos dos agentes perpetradores da falta criminosa, a ação criminosa por eles exercida, a arrogância por eles demonstrada e estimulada por um senso de impunidade e o comportamento desonesto no desempenho de suas atividades". O decano concluiu sua análise sobre a compra de apoio político ressaltando "a perigosa situação a que o país está exposto, dirigido por dirigentes capazes de perpetrar delitos difamantes".

Para Ayres Britto, "esse catastrófico modo interpartidário de fazer política", que definiu como a formação "pecuniarizada de alianças argentárias, um tipo de coalizão excomungado pela Constituição", leva a que o perfil ideológico que sai das urnas fique adulterado, ferindo a democracia.

[Sexta-feira, 12/10/2012]

Bravatas comprometedoras

A mania que o ex-ministro José Dirceu ainda cultiva, mesmo depois de cassado pela Câmara e de ser réu do processo do mensalão, de relatar suas atividades políticas passadas e presentes com toques de megalomania, que as transformam em verdadeiras proezas, acabou virando contra ele mesmo neste julgamento.

Não há quem não saiba, vivendo no Brasil naquele ano de 2003 ou nos dias de hoje, que Dirceu sempre foi o grande articulador político do governo Lula, com ingerência em praticamente todas as áreas da administração, a exemplo do que fazia quando liderava o PT em acordo com o ex-presidente.

Centralizador, quando deixou a Casa Civil, presidia dezenas de conselhos interministeriais, tratando dos mais variados assuntos. Sua fome de explicitar o poder que detinha era tamanha que a ordem de precedência dos ministros foi alterada, e ele passou a ser sempre o primeiro nas solenidades.

Pelo decreto 70.724, que trata de "normas do cerimonial público e a ordem geral de precedência" de autoridades em eventos oficiais, a sequência de entrada era determinada pelo critério histórico de criação do respectivo ministério, sendo o da Justiça o mais antigo. Na época de Dirceu, porém, surgiu uma regra interna, ainda em vigor no Planalto, de que a Casa

Civil teria precedência. Ele era considerado o primeiro-ministro do governo, aquele que realmente comandava, realidade que irritava até o presidente Lula, o que não o impediu de classificar Dirceu como "o capitão do time". Pois foi esse poder exercido sem a menor discrição, com fome de exibição, que o transformou em "chefe da quadrilha" quando o Ministério Público denunciou o esquema.

Ele até que tentara montar um ministério partidário cooptando o PMDB para o primeiro governo. Fechou um acordo, mas foi desautorizado por Lula, que, naquele início de gestão, dizia não se sentir confortável ao lado do partido. A indicação do então deputado federal Eunício Oliveira para uma das vagas do PMDB, por exemplo, provocou a ira de Lula. Mais adiante, depois da crise que quase o tirou do poder, o então presidente refez seus conceitos, colocou todo o PMDB no governo e deu um ministério ao hoje senador Eunício Oliveira.

Em 2003, para dar a maioria ao governo, o PT, ao comando de Dirceu, foi atrás de adesões e montou esquema para esvaziar os oposicionistas. Tanto que o PT quase não aumentou sua bancada na Câmara, mas os vários partidos que foram para a base, esses, sim, cresceram bastante. O PTB de Roberto Jefferson aderiu ao governo e teve aumento de cerca de vinte deputados em sua bancada; o PL de Valdemar da Costa Neto, hoje PR, ganhou outros vinte. Já o PFL perdeu 26 deputados, e o PSDB, outros dezenove.

Essa migração teve um custo, traduzido no mensalão. Mas o processo de redução da oposição, através da cooptação de deputados para a base governista, continua em ação, agora com a troca de cargos na administração ou com a simples perspectiva de poder, caso do novo PSD, que praticamente desidratou o DEM e deve ser incorporado ao ministério de Dilma após o segundo turno das eleições municipais.

Pois toda essa movimentação partidária foi iniciada por Dirceu quando ainda na Casa Civil, o que o transformou, aos olhos de todos, no "todo-poderoso" do governo Lula, fama que cultivava, mas que, ao mesmo tempo, fez-lhe o réu mais óbvio quando estourou o escândalo do mensalão.

Suas bravatas eram tão explícitas que tornaram factível que fosse o elo final da cadeia criminosa. Bem que José Dirceu avisou várias vezes que nunca fizera qualquer movimento político sem que Lula soubesse, mas sua figura já ganhara dimensões épicas que fizeram dele o figurino perfeito para a tese do domínio do fato, que acabou levando à sua condenação.

Entretanto, o presidente do Supremo, Ayres Britto, disse que encontrou no depoimento de Dirceu à Justiça elementos que claramente o incriminavam, por suas próprias palavras, como o comandante da operação, sem que fosse necessário usar a teoria do domínio do fato. Ayres Britto pinçou declarações de Dirceu em juízo: "O papel do articulador é levar a que o governo tenha maioria na Câmara, que aprove seus projetos, discutir com a Câmara, com os governadores, prefeitos e conversar com a sociedade. Esse é o papel que tenho até hoje. Me reunia com todos os partidos."

Era um líder "extremamente centralizador", definiu Ayres Britto, para concluir por sua culpa.

[Sábado, 13/10/2012]

Transparência

O país acompanha pela TV, ao vivo e em cores, o julgamento do mensalão e é testemunha de que tudo se passa na mais perfeita ordem democrática do Estado de Direito. A pretexto de evitar a politização do julgamento, petistas ilustres, a começar pelo ex-presidente Lula, exerceram durante meses pressão nunca vista sobre o Supremo Tribunal Federal para que não se realizasse durante as eleições municipais.

A preocupação era tamanha que Lula chegou a ameaçar Gilmar Mendes de denunciar, na CPI do Cachoeira, uma suposta relação do ministro com o bicheiro, o que foi prontamente repelido. Tornado público o episódio, ficou claro que não havia o que denunciar, e o tiro saiu pela culatra. Inevitável o julgamento, Lula passou a procurar outros ministros em busca de apoio à sua tese de que tudo não passou de uma farsa. A Dias Toffoli foi dito, em público pelo atual prefeito de São Bernardo, Luiz Marinho, e em particular pelo próprio Lula, que não tinha o direito de se declarar impedido, mesmo tendo trabalhado sob as ordens do ex-ministro José Dirceu e assinado documento, na posição de delegado do PT, afirmando que o mensalão ainda estava para ser provado.

O ministro Ricardo Lewandowski recebeu Lula em casa, em São Bernardo do Campo, antes do julgamento. Essas pressões petistas foram as reveladas, uma carga que, ao contrário, atribuem à "mídia conservadora", que estaria atuando para condenar "o governo popular". Mas os mínimos detalhes foram observados para que não se dissesse que o julgamento tinha qualquer laivo de tendenciosidade. O presidente do STF, Ayres Britto, abria sempre as sessões anunciando a Ação Penal 470, e encabeçava a lista dos réus com José Dirceu de Oliveira e Silva. A partir de um certo momento, deixou de citar o nome de Dirceu, dizendo genericamente que os réus eram conhecidos.

Também a palavra "mensalão" desapareceu da boca dos ministros, pois advogados de defesa alegaram que o nome era depreciativo e já embutia decisão sobre o caso. O revisor Lewandowski, porém, sempre que pode, refere-se ao episódio mineiro, lembrando que foi a origem de tudo. É certo que não cita o PSDB, partido cuja regional de Minas envolveu-se originalmente com o lobista Marcos Valério para fazer, em termos locais, o mesmo que o PT faria, em plano nacional, anos depois, mas a repetição mostra preocupação de relativizar o esquema denunciado pelo processo.

Os membros do STF não perdem uma chance de explicar didaticamente as razões jurídicas que os levam a condenar alguns e absolver outros, e, quando há uma dúvida razoável, a discussão ganha até mesmo ares de confronto, com ministros sendo mais ríspidos do que deveriam, alterando a voz para impor suas convicções. Em algumas ocasiões, especialmente nas primeiras sessões, houve até momentos em que o julgamento esteve em risco, como quando Lewandowski ameaçou abandonar o plenário.

Dias Toffoli, na última sessão, chegou a dizer que seu colega Luiz Fux estava sendo "indelicado". O relator Joaquim Barbosa, que não aguenta ser contestado sem revidar, cortou um comentário do mesmo Toffoli, que usou um "assalto a banco" para contestar a posição do relator sobre lavagem de dinheiro, afirmando: "Não é assalto a banco, mas é assalto aos cofres públicos."

Lewandowski e Toffoli estão em minoria no plenário, isolados em suas posições na maioria das situações, mas têm encontrado apoio nas questões relativas à lavagem de dinheiro e à formação de quadrilha, temas que são acessórios ao principal no julgamento, mas que têm grande importância tanto na definição das penas quanto no estabelecimento de uma jurisprudência que influirá nas várias instâncias da Justiça brasileira daqui para frente.

O que se vê, então, é que os ministros do Supremo — a maioria nomeada por governos petistas — são capazes de discutir, às vezes asperamente, em torno de temas que não obtêm consenso do plenário, e são também capazes de absolver quando uma "dúvida razoável" persiste.

Os placares condenatórios elásticos — de dez a zero para Delúbio Soares; nove a um para José Genoino; e oito a dois para José Dirceu — só indicam que não houve dúvidas sobre suas culpabilidades.

[Domingo, 14/10/2012]

A raiz do mensalão

Pode até ser que o mensalão não impeça o PT de vencer a eleição para a prefeitura de São Paulo, como indicam as primeiras pesquisas, mas me parece inegável que o partido sofrerá, a médio prazo, os efeitos de seu desprezo pelas regras éticas na política. [Nota do Editor: candidato do PT à Prefeitura de São Paulo, Fernando Haddad seria eleito em 28 de outubro, no segundo turno.] O PT nasceu defendendo justamente um novo modo de fazer política e foi assim que chegou ao poder, mesmo que, no período anterior à eleição de 2002, já estivesse envolvido em diversas situações nebulosas nas prefeituras que governava.

Os assassinatos de Celso Daniel, prefeito de Santo André, e de Toninho do PT, prefeito de Campinas, são dois exemplos da gravidade dos problemas que envolviam o partido já antes de chegar ao poder central, com irregularidades em serviços como o de coleta de lixo e com distribuição de propinas para financiamento de eleições. [N. do Editor: Toninho do PT e Celso Daniel foram assassinados, respectivamente, em 2001 e 2002; muitas dúvidas ainda pairam sobre a real motivação dos crimes.]

Quando o escândalo do mensalão eclodiu, em 2005, dois dos fundadores do PT, o cientista político César Benjamin e o economista Paulo de Tarso Venceslau, revelaram os bastidores da luta dentro do partido nos anos noventa do século passado, ocasião que identificam como o "ovo da serpente" no qual teria sido gestado esse projeto de poder que acabou desaguando nas práticas de corrupção.

Coordenador da campanha de Lula a presidente em 1989, Benjamin garantiu que "o que está aparecendo agora é uma prática sistêmica que tem pelo menos quinze anos no âmbito do PT, da CUT e da esquerda em geral. Nesse ponto, a responsabilidade do presidente Lula e do ex-ministro José Dirceu é enorme". O episódio do mensalão seria o desdobramento de uma série de práticas que começaram na gestão do Fundo de Amparo ao Trabalhador (FAT) no fim dos anos noventa, quando Delúbio Soares foi nomeado representante da CUT na administração do fundo.

Esse tipo de ação, segundo César Benjamin, deu "ao grupo do Lula" uma arma nova na luta interna da esquerda. O modelo de Marcos Valério foi apenas um *upgrade* na prática de desvio de verbas públicas para financiar campanhas eleitorais. "Esse esquema pessoal do Lula começou a gerenciar quantidades crescentes de recursos, e isso foi um fator decisivo para que o grupo político dele pudesse obter a hegemonia dentro do PT e da CUT", disse Benjamin.

Paulo de Tarso Venceslau, companheiro de exílio do ex-ministro José Dirceu, foi expulso no começo de 1998 depois de denunciar um esquema de arrecadação de dinheiro junto a prefeituras do PT, organizado pelo advogado Roberto Teixeira, compadre do ex-presidente Lula, na casa de quem morou durante anos.

Um relatório de investigação interna do PT, assinado por Hélio Bicudo, José Eduardo Cardozo, hoje ministro da Justiça do governo Dilma, e Paul Singer, concluiu pela culpa de

Teixeira, mas quem acabou expulso do partido foi Venceslau. Ele identifica esse episódio como o momento em que "Lula se consolida como caudilho, e o partido se ajoelha diante dele". Para ele, "um caudilho com esse poder, um partido de joelhos e um executor como o Zé Dirceu só podiam levar a isso que estamos vendo hoje". Segundo Venceslau, em entrevista concedida naquela ocasião, "evidentemente que Lula não operava, assim como não está operando hoje, mas como sabia naquela época, sabe hoje, sempre soube".

A postura do PT frente ao julgamento tem obedecido a uma oscilação que depende dos interesses políticos do partido. Da reação inicial de depressão e pedido de desculpas à afirmação de que o mensalão não passava de caixa dois eleitoral, o então presidente recuperou forças para se reeleger.

A partir daí, o mensalão passou a ser "uma farsa". Agora, que o esquema foi todo revelado à opinião pública, o PT diz que o julgamento é golpe dos setores reacionários contra um governo popular. O que importa é vencer a eleição em São Paulo, comandada, como sempre, por José Dirceu. O mensalão não terá a menor influência no eleitorado, diz o imediatista Lula, que pensa na próxima eleição sem pensar na próxima geração.

Os ensinamentos que o episódio poderia proporcionar ao partido, permitindo que recuperasse o rumo que, pelo menos em teoria, era o seu ao ser fundado, vão sendo engolidos pelo pragmatismo que levou o PT aonde está hoje: no poder, porém em marcha batida para se transformar em mais uma legenda vulgarizada pela banalização da política.

[Terça-feira, 16/10/2012]

Símbolo absolvido

O publicitário Duda Mendonça, que se transformou em símbolo da crise do mensalão quando, em CPI de 2005, surpreendeu a todos revelando que recebera pagamento de cerca de R$ 10 milhões no exterior pela campanha eleitoral que elegeu Lula presidente em 2002, foi absolvido ontem pelo Supremo Tribunal Federal das acusações de lavagem de dinheiro e evasão de divisas.

O pagamento foi feito através do publicitário Marcos Valério a uma empresa que Duda Mendonça abriu no exterior apenas para receber o que lhe era devido, com dinheiro saído de contas de vários bancos pelo mundo, e essa revelação provocou, na ocasião, choro e ranger de dentes entre os petistas, sendo que muitos foram ao púlpito da Câmara e do Senado pedir desculpas ao povo brasileiro. Estava criado, naquele momento, um clima propício ao pedido de *impeachment* de Lula, pois o pagamento ilegal se referia diretamente à campanha eleitoral, o que só não aconteceu porque houve muitas negociações nos bastidores, e a oposição não quis enfrentar a luta política que certamente seria desencadeada.

Imaginando que Lula estava mortalmente ferido, optou por deixá-lo sangrar, na expectativa de que não tivesse recuperação. O cálculo da oposição mostrou-se equivocado, e, com a economia recuperando fôlego, Lula acabaria se reelegendo em 2006. Ontem, o STF recuperou do passado o episódio para, à luz da legislação, desidratá-lo, tratando-o como um caso menor de erro de um contribuinte qualquer, que acabou pagando sua dívida com o Imposto de Renda e regularizou sua situação.

Apenas o relator Joaquim Barbosa deu importância ao crime de lavagem de dinheiro pelo qual acusou o publicitário e sua sócia Zilmar Fernandes, tendo sido voto vencido, com apenas mais dois colegas acompanhando seu exemplo.

A posição da maioria do plenário foi definida muito mais por questões técnicas do que pela análise dos fatos concatenados, como continuou fazendo o relator. Rosa Weber foi a primeira a chamar a atenção para a falha na acusação do Ministério Público, que não apontou, como crime antecedente da lavagem de dinheiro, a evasão de divisas cometida pelo núcleo financeiro comandado por Valério. "A denúncia não pode ser implícita", advertiu a ministra quando o relator insistiu em que a peça do procurador-geral da República falava em "crimes contra o sistema financeiro nacional", o que incluiria a evasão de divisas.

Barbosa ainda tentou defender a tese de que um "deslize verbal" da acusação não poderia invalidar a denúncia, que, para ele, estava clara: o publicitário Duda Mendonça abriu conta no exterior apenas para receber o pagamento que o Partido dos Trabalhadores lhe devia. O fato de o dinheiro ter sido remetido através das empresas de Valério seria a prova de que Duda sabia que a origem daqueles recursos era no mínimo duvidosa, o que o próprio réu admitiu em depoimento à Justiça.

Mas apenas Gilmar Mendes e Luiz Fux seguiram a linha do relator, ficando os demais com a tese do revisor, que viu na denúncia uma falha que a invalidava. Foi ressaltado até mesmo o fato de o procurador-geral da República, em suas alegações finais, ter deixado a critério do plenário a definição do crime praticado por Duda, se lavagem de dinheiro ou evasão de divisas. Essa situação demonstrava, para o revisor e a maioria dos ministros, que o Ministério Público não estava convicto da acusação. Não foi suficiente Barbosa lembrar que também não aceitara aquela atitude do procurador-geral, rejeitando-a.

Houve momento em que o relator, claramente irritado por sentir que perdia a discussão, admitiu que poderia até mesmo mudar seu voto para que o Ministério Público aprendesse a ser específico em sua acusação.

A decisão do STF de que Marcos Valério, seus sócios e os dirigentes do Banco Rural utilizaram-se de métodos ilegais, como evasão de divisas, para o pagamento do marqueteiro, e por isso foram condenados, confirma que até mesmo a campanha eleitoral de 2002 foi contaminada com dinheiro ilegal.

O fato, porém, é que a maioria dos ministros ateve-se a questões formais para inocentar Duda Mendonça, o que retirou do processo um fator simbólico. E demonstrou, mais uma vez, que o plenário do Superior Tribunal Federal não se deixa levar por apelos políticos no julgamento do mensalão.

[Quarta-feira, 17/10/2012]

Os vários tons

O julgamento do mensalão caminha para seu término sem que existam itens ainda por julgar que possam interferir no resultado final, que já foi dado com a definição, pela maioria do STF, de que houve desvio de dinheiro público para a compra de apoio político no Congresso e com a identificação e a condenação dos atores dos crimes, tanto ativos quanto passivos.

A acusação de formação de quadrilha, da qual o ex-ministro José Dirceu seria "o chefe", que parecia ser a base para o processo, acabou sendo relegada a plano secundário. Ainda é mais provável que o núcleo político do PT — Dirceu, Genoino e Delúbio, mais Silvinho Pereira, que está fora do julgamento por ter feito um acordo — seja condenado por quadrilha também, mas, mesmo que tal não venha a ocorrer, nada mudará a essência do esquema criminoso.

A definição de "formação de quadrilha" está sendo debatida no plenário do Supremo em vários outros itens, e há divergências de conceituação. Estas foram suficientes, até agora, para absolver uns poucos da acusação, e a condenação de alguns chegou a ter quatro votos pela absolvição. Mesmo que não veja confirmada no STF sua condição de chefe de quadrilha, Dirceu já foi identificado como aquele que detinha "o domínio do fato", isto é, que comandava a ação considerada criminosa pelo Supremo. Também a absolvição de Duda Mendonça das acusações de evasão de divisas e lavagem de dinheiro não muda a essência da denúncia, embora afaste da campanha presidencial de 2002, na qual o marqueteiro ajudou a eleger Lula pela primeira vez, a pecha de ter sido financiada com recursos do mensalão.

A parte importante do julgamento, porém, vem depois de seu término, na definição da dosimetria das penas. Essas questões, que incluem agravantes e atenuantes, e até mesmo a definição legal dos crimes, já estão sendo negociadas nos bastidores, através da ação dos advogados, que buscam razões para convencer os juízes de que os réus não merecem punições muito graves. O caso politicamente mais delicado é o de Dirceu, condenado, por enquanto, por corrupção ativa nove vezes: na página 103 (item a) da denúncia está dito que "José Dirceu, Delúbio Soares, José Genoino, Silvio Pereira, Marcos Valério etc., em concurso material, estão incursos três vezes nas penas do artigo 333 do Código Penal". Na página 112 (item a), que o crime foi praticado duas vezes em concurso material. Na 117 (item a), que foi praticado três vezes em concurso material. E na 120 (item a), imputa-se o crime mais uma vez, sempre em concurso material.

O que isso quer dizer? O "concurso material", definido no artigo 69 do Código Penal, dá-se quando "o agente, mediante mais de uma ação ou omissão, pratica dois ou mais crimes, idênticos ou não". Nesse caso, "aplicam-se cumulativamente as penas privativas de liberdade em que haja incorrido". Pela denúncia, portanto, o ex-chefe da Casa Civil poderá responder a um mínimo de dezoito anos e a um máximo de 108 anos de cadeia. Se pegar a punição mínima de dois anos (a máxima é de doze), terá de cumprir três anos em regime fechado (1/6 do total) para ter direito à progressão da pena.

Mas o STF não precisa concordar com a denúncia. Na hora da aplicação da pena, a tal dosimetria, os ministros terão de decidir se entendem que os crimes foram praticados em concurso material, formal ou se é caso de crime continuado.

O Código Penal define, em seu artigo 71, o crime continuado como aquele em que "o agente, mediante mais de uma ação ou omissão, pratica dois ou mais crimes da mesma espécie e, pelas condições de tempo, lugar, maneira de execução e outras semelhantes, devem os subsequentes ser havidos como continuação do primeiro, aplicasse-lhe a pena de um só crime, se idênticas, ou a mais grave, se diversas, aumentada, em qualquer caso, de um sexto a dois terços".

Se incluído nessa categoria, Dirceu poderá pegar condenação de menos de oito anos, em regime semiaberto, só dormindo na cadeia. Talvez mais por isso do que pela eleição paulistana, Dirceu decidiu desistir, pelo menos por enquanto, de convocar as massas em sua defesa contra o STF. [Nota do Editor: conforme discutido no artigo *Fato consumado*, publicado à página 232, José Dirceu seria condenado a dez anos e dez meses de prisão.]

[Quinta-feira, 18/10/2012]

A dosimetria de Barbosa

A definição sobre as penas dos condenados no processo do mensalão será mais complicada do que se imagina, e por isso fez bem o relator Joaquim Barbosa em pedir uma reunião extraordinária para tentar encerrar, na próxima semana, o julgamento do último item, o de formação de quadrilha.

Há detalhes de todo tipo a determinar maior ou menor punição. O caso do ex-ministro José Dirceu tem mais nuances. Dos nove crimes de corrupção ativa por que foi condenado, nada menos que oito foram cometidos em 2003 e são puníveis pela lei antiga, alterada em novembro daquele ano. A pena mínima, em vez de dois anos, era de um ano, e a máxima, de oito anos, em vez de doze.

Se os ministros decidirem que o caso é de "concurso material", a soma das penas deve ser reduzida. Mas, se deliberarem que houve "crime continuado", quando as punições não se acumulam, a nova lei deve ser a base para a definição, pois, de acordo com a súmula 711 do Supremo, quando uma legislação mais dura substitui uma anterior, ela é que deve ser utilizada.

A defesa teme que o relator Joaquim Barbosa faça pressão para manter a acusação nos termos do procurador-geral. O advogado Antonio Carlos Almeida Castro, o Kakay, acha que sustentar o "concurso material", em que as penas acumulam, seria dar a José Dirceu uma punição que nem Fernandinho Beira-Mar receberia.

No voto de Barbosa, que vazou logo no início do julgamento, ele condenava Kátia Rabello e o núcleo financeiro a penas muito duras, o que leva a crer que as vá pedir severas para todos, podendo com isso encaminhar a votação. Barbosa fixou a de Marcos Valério — a quem classificou ontem como "agente criminoso" — para o crime de lavagem de dinheiro em doze anos e sete meses de reclusão. A dona do Banco Rural, Kátia Rabello, e o ex-vice-presidente da instituição, José Roberto Salgado, receberam do relator dez anos de reclusão. Nos três casos, Barbosa votou pelo início do cumprimento da punição em regime fechado, "sendo incabível" a substituição por penas restritivas de direitos. Além disso, votou pela perda, em favor da União, "dos bens, direitos e valores objeto do crime".

Como a discussão será feita em deliberação aberta, com TV ao vivo, como é hábito nas reuniões do STF, a posição dos ministros será exposta à opinião pública.

O destino de Duda

Não foram apenas as falhas apontadas por especialistas na acusação do procurador-geral da República que possibilitaram a absolvição de Duda Mendonça. Se o relator Joaquim Barbosa tivesse dado seu voto pela condenação do marqueteiro por evasão de divisas, como fez ontem, talvez Duda não estivesse comemorando hoje sua absolvição tanto por este crime quanto pelo de lavagem de dinheiro.

A absolvição de Duda Mendonça aconteceu porque Barbosa mostrou incertezas sobre o caso. Ora, se ele, que é o mais aguerrido, estava em dúvida, todos os outros ministros se sentiram sem base para condenar.

No seu voto na sessão de segunda-feira, Barbosa alegou que a denúncia e o extrato bancário demonstram que Duda Mendonça e sua sócia Zilmar Fernandes tinham depósitos, em 2003, com saldo abaixo de seiscentos dólares. Como não estavam obrigados a declarar, não se caracterizou crime, "razão pela qual se impõe a absolvição de ambos". Mas o relator tampouco estava certo sobre o saldo, pois disse que não há dúvidas de que mantiveram valores superiores a cem mil dólares escondidos sem declaração. Por isso, admitiu: "Se o plenário decidir em contrário do encaminhamento que fiz acima, admito mudar meu posicionamento."

Para Joaquim Barbosa, o objetivo final de Duda e Zilmar era o recebimento da dívida e, analisando todo esse contexto, declarou que não havia como afirmar que ambos integravam a quadrilha ou a organização criminosa.

Barbosa admitiu que seria "até possível dizer que Duda e Zilmar tinham o objetivo de sonegar tributos, mas foram denunciados por lavagem, e não por sonegação fiscal".

[Sexta-feira, 19/10/2012]

Buscando respaldo

Não há dúvida de que o ministro revisor Ricardo Lewandowski, alterando voto para absolver vários réus que já condenara por formação de quadrilha, deu coerência à sua decisão, anunciada ontem, de não considerar que houve formação de quadrilha em relação também aos núcleos político, empresarial e financeiro do mensalão.

E ele, ao valer-se das posições de Rosa Weber e Cármen Lúcia para basear a sua, também se respaldou na análise de colegas que não seguem a maioria de seus votos, dando assim um toque de isenção à sua atuação de ontem.

Na verdade, tanto essa questão quanto a de lavagem de dinheiro são acusações acessórias muito discutidas neste julgamento do Supremo Tribunal Federal, e uma definição do plenário da corte deve balizar as decisões de outras instâncias. São mais importantes nesse sentido, de ditar caminhos futuros, do que especificamente neste julgamento, que já teve seus principais objetos — corrupção ativa e passiva, e peculato — estabelecidos.

É claro que uma condenação a mais sempre é prejudicial ao julgado, e exatamente por isso o revisor insinuou no seu voto que o procurador-geral da República imputara a réus o crime de formação de quadrilha com o intuito único de agravar as penas. Caso sejam culpados por este delito, só terão as punições acrescidas se a condenação for pela pena máxima de três anos. Se pela mínima, de um a dois anos, o crime já estará prescrito. A condenação teria, assim, sentido apenas simbólico.

"No campo criminal não se admite generalizações para enquadrar determinado comportamento, como também não se aceita analogia", advertiu o revisor. Baseou-se na tese de Rosa Weber, que defendera anteriormente que o delito de formação de quadrilha "tem a perturbação da paz pública, a quebra do sentimento geral de tranquilidade e sossego como fins".

Para ela, o que a lei procura é "evitar a conduta que viabiliza sociedades montadas para o crime — grupos montados para roubar, falsificar, extorquir". As duas juízas bateram-se no mesmo ponto: as quadrilhas devem sobreviver dos produtos de seus crimes, o que não era o caso. Cármen Lúcia e Rosa Weber alegaram que a formação de quadrilha ou bando se define pela associação permanente para a prática de crimes. Segundo Rosa Weber, o que caracteriza esse tipo de delito "não é a perturbação da paz pública em si", mas a decisão "de sobreviver à base dos produtos auferidos em ações criminosas indistintas".

Acompanhando a divergência, a ministra Cármen Lúcia disse que o que caracteriza o delito de quadrilha é a prática de "crimes em geral, o que não vislumbrei". Para ela, a acusação do Ministério Público de que o esquema previa "pequenas quadrilhas com outras quadrilhas" não convence, e o que houve foi "reunião de pessoas para práticas criminosas, mas para atender a vantagens específicas de alguns réus, e não para atingir a paz social".

Essa compreensão restrita à letra da lei dificulta muito o estabelecimento do que seja formação de quadrilha, pois há entre os ministros quem veja nessa associação criminosa ameaça à paz pública, sim, pois o projeto tinha por meta superar a separação de poderes que caracteriza uma sociedade democrática, tornando o Legislativo subordinado ao Executivo.

O próprio ministro Ayres Britto, presidente do Supremo, retificou uma definição que dera anteriormente. Ao se referir ao que aconteceu no mensalão como um golpe no sistema democrático, parecia ter conferido uma dimensão institucional a seu voto, mas esclareceu que usou o termo no sentido de "atingir" a democracia. O ministro Luiz Fux, que seguiu o relator na primeira votação sobre quadrilha, declarou que via a reunião permanente dos membros dos diversos núcleos como característica de uma quadrilha.

O caso do chamado núcleo político do PT é diferente do anterior, no qual os políticos da base aliada, de diversas legendas, apanharam dinheiro na boca do caixa. Não seria uma incongruência, portanto, se ministros que não classificaram de quadrilha a formação anterior identificassem neste item a existência desse crime.

Mas o que o revisor Ricardo Lewandowski tentou ontem foi amarrar definitivamente os votos das ministras Rosa Weber e Cármen Lúcia.

[Sábado, 20/10/2012]

Marginais do poder

A definição do que seja crime de formação de quadrilha é a última discussão teórica do plenário do STF antes do estabelecimento dos critérios para desempates e dosimetria das penas. A corte está dividida entre os ministros que tratam esse delito dentro do estrito texto legal, e por isso não veem a existência de quadrilha no caso em julgamento, e os que, como o decano Celso de Mello, se permitem voos mais altos para chegar à conclusão oposta.

A paz pública, capítulo em que está inserido o crime em questão, é o "bem tutelado", isto é, o objeto que a legislação procura proteger. As ministras Rosa Weber e Cármen Lúcia não viram nos fatos descritos na Ação Penal 470 sinais de que havia uma ação criminosa desse tipo, mas apenas coautores de diversas ilegalidades, em benefício próprio, no primeiro momento em que esse delito foi julgado.

A legislação trata de crimes comuns perpetrados por quadrilhas, como roubos, sequestros etc. Para Rosa Weber, "a indeterminação na prática de crimes é a diferenciação de bandos e agentes pura e simples. (...) Entendo que houve aqui crime de coautoria". Quadrilha, na sua concepção, "causa perigo por si mesma na sociedade". Quanto à ameaça à paz pública, a ministra considera que só se caracteriza na "quebra de sossego e paz, na confiança da continuidade normal da ordem jurídico-formal". E os membros da quadrilha têm a decisão de "sobreviver à base dos produtos auferidos em ações criminosas indistintas".

Cármen Lúcia fez um adendo às ponderações da ministra Rosa que pode ser importante na sua distinção entre o caso já julgado e o que estará em julgamento a partir de segunda-feira. Disse que a tese da Procuradoria-Geral da União de que havia uma "pequena quadrilha", formada pelos políticos dos partidos aliados, dentro de outra quadrilha, esta, a que vai ser julgada, não a convenceu.

Já Luiz Fux se disse convencido de que, demonstrada a "congregação estável entre os integrantes para o cometimento de crime, está caracterizado também o crime de quadrilha". Foi nessa ocasião que o presidente do Supremo, Ayres Britto, fez a observação que já ficou famosa: "A pergunta então seria: o réu podia deixar de não saber, nesse contexto?" Marco Aurélio Mello, que inocentou o deputado Valdemar da Costa Neto do delito de quadrilha, assim o fez por questões técnicas: considerou que não estava configurada a reunião "de mais de três pessoas" como manda a lei, pois um dos réus está sendo julgado em outro processo, na primeira instância. No caso do núcleo político do PT, em associação com o núcleo operacional e o financeiro, a situação é outra, e não é certo que o ministro continue absolvendo os réus, inclusive porque já condenou outros pelo mesmo crime.

A definição mais abrangente em relação à ameaça à paz pública foi feita pelo ministro Celso de Mello, num voto histórico em que comparou os réus a "uma quadrilha de bandoleiros de estrada", definindo-os como "verdadeiros assaltantes dos cofres públicos", preenchendo os requisitos legais com uma aula de história. Citou Cícero, que se referia à paz pública como sendo "a tranquilidade da ordem (...), o sentimento de segurança das pessoas". Para o decano do STF, "são esses os valores juridicamente protegidos ao incriminar o delito de quadrilha". Celso de Mello identificou um "quadro de anomalia" que revela as "gravíssimas consequências desse gesto infiel e indigno de agentes corruptores, tanto públicos quanto privados, devidamente comprovados, que só fazem desqualificar e desautorizar a atuação desses marginais no poder".

Embora interfira no resultado apenas de maneira remota, pois pode aumentar a pena dos condenados a definição do crime de quadrilha ganha uma dimensão política relevante neste julgamento. Isso porque a interpretação mais ampla de que a paz pública brasileira esteve ameaçada, pondo em risco o Estado democrático de Direito — assumida por Celso de Mello e pelo presidente do Supremo, Ayres Britto, que chegou a falar em "golpe na democracia" e depois reinterpretou as próprias palavras para amenizar seu sentido —, traz consigo o entendimento de que o que houve foi uma conspiração institucional

[Terça-feira, 23/10/2012]

Em defesa da democracia

A sessão de ontem do Supremo Tribunal Federal não apenas colocou um fecho no processo do mensalão, definindo como ação de quadrilha a relação do núcleo político do PT com os grupos do lobista Marcos Valério e os financiadores do esquema, como indicou que serão pesadas as penas para os principais envolvidos na trama criminosa.

O decano do STF, ministro Celso de Mello, chamou-os de "sociedade de delinquentes". Marco Aurélio Mello releu discurso histórico que fez ao assumir a presidência do Tribunal Superior Eleitoral em 2006, quando definiu os mensaleiros como grupo "seduzido pelo projeto de alcançar o poder de uma forma ilimitada e duradoura". Gilmar Mendes destacou que a paz social fica em risco quando se procura desmoralizar a democracia: "Não tenho dúvida de que a gravidade dos fatos atenta contra a paz pública na concepção social. (...) Sem dúvida isso subverte a lógica das instituições colocando em risco a própria sociedade."

O ministro Luiz Fux baseou seu voto de condenação no fato de que o STF já decidira que existia um "projeto delinquencial" de longa duração. O presidente do Supremo, Ayres Britto, também foi pela mesma linha de considerar que a ação dos grupos em coordenação caracterizava bem uma quadrilha que pôs em risco a paz pública ao atentar contra o Estado democrático de Direito.

Em maio de 2006, Marco Aurélio Mello faria um discurso de posse tão destemido, em pleno escândalo do mensalão, que, revelou ontem, sugeriu que o então presidente Lula não comparecesse à cerimônia para evitar constrangimentos. Ele disse na ocasião, e repetiu agora, que o Brasil se tornara o país do "faz de conta": "Infelizmente, vivenciamos tempos muito estranhos, em que se tornou lugar-comum falar dos descalabros que, envolvendo a vida pública, se infiltraram na população brasileira — composta, na maior parte, de gente ordeira e honesta — um misto de revolta, desprezo e até mesmo repugnância."

Celso de Mello disse que nunca, em 44 anos de atuação na área jurídica, viu tão caracterizada uma quadrilha quanto neste caso. Comparou a quadrilha do mensalão às que atuam no Rio e ao PCC paulista. "Conspiradores à sombra do Estado, quebrando a tranquilidade da ordem e segurança." O decano disse que o que observava nesse processo eram "(...) homens que desconhecem a República, que vilipendiaram o Estado democrático de Direito e desonraram o espírito republicano. Mais do que práticas criminosas, identifico no comportamento desses réus, notadamente, grave atentado à ordem democrática".

Gilmar Mendes classificou de "naturalista" a interpretação que levou as ministras Rosa Weber e Cármen Lúcia a negar a existência de quadrilha, e ressaltou que, no decorrer do julgamento, já fora determinado que a democracia brasileira esteve em risco com os crimes do mensalão.

O ministro Luiz Fux asseverou que, na literatura jurídica, não há exemplo de um crime praticado em coautoria ao longo de dois anos e que não faz sentido condenar membros dos diversos núcleos do mensalão sem enxergar que essas condutas só puderam ser praticadas graças a uma associação estável entre os réus já condenados.

O presidente do Supremo, Ayres Britto, encerrou a sessão com seu voto, que condenou os mensaleiros por crime de quadrilha. Baseou sua decisão no convencimento de que a paz pública foi afetada e de que é preciso condenar os culpados para que a sociedade não perca a crença de que seu Estado dará a resposta adequada: "A paz pública é essa sensação coletiva em que o povo nutre a segurança em seu Estado. O trem da ordem jurídica não pode descarrilhar. Dessa confiança coletiva no controle estatal é que me parece vir a paz pública. A tranquilidade resulta da confiança. (...) O fato é que a sociedade não pode decair da confiança de que o Estado manterá as coisas sob controle. Paz pública é isso."

Pelo teor dos seis votos que condenaram os réus pelo delito de quadrilha, confirmando a acusação do procurador-geral da República, as penas serão pesadas. Haverá abrandamento a um ou outro réu, como já indicou o presidente do STF em relação à posição secundária de José Genoino na presidência do PT ou dos sócios de Marcos Valério, mas os cabeças do esquema — José Dirceu, Delúbio Soares e Marcos Valério — devem receber punições com agravantes.

[Quarta-feira, 24/10/2012]

STF se perde

Mais uma vez os ministros do Supremo bateram cabeça ao vivo e em cores, dando uma demonstração evidente de que não têm organização que lhes permita ordenar minimamente uma sessão na qual o fundamental é ter critérios claros para basear as condenações dos réus. Houve momentos em que a situação chegou a ser caricata, como quando o relator Joaquim Barbosa perguntou se ele e o revisor, Ricardo Lewandowski, não estariam tratando de questões distintas (e não estavam), ou quando travaram o seguinte diálogo:

> Joaquim Barbosa: Eu gostaria de perguntar, a análise de Vossa Excelência diz respeito a qual réu?
> Ricardo Lewandowski: Valério, em outro peculato. Eu inocentei Valério em relação aos peculatos que dizem respeito à Câmara.
> Joaquim Barbosa: Vossa Excelência não tem voto neste caso.

Não tinha mesmo, mas, para não ficar vencido na discussão de outros peculatos, com uma decisão da qual não participou por ter absolvido Marcos Valério naquele caso específico,

Lewandowski antecipou seu voto, provocando mais confusão no plenário, a ponto de o presidente Ayres Britto ter suspendido a sessão para tentar organizar a discussão, que àquela altura estava caótica.

Barbosa, em diversas ocasiões, demonstrou que não se preparara adequadamente para a sessão de ontem. Deu uma punição para Marcos Valério, por formação de quadrilha, e ainda por cima aplicou multa: "Eu torno definitiva a pena de dois anos e onze meses, e 291 dias de multas, para Valério, com valor de dez salários mínimos por dia, levando em conta a situação financeira do réu. É o que consta dos autos. Essa é a pena para Valério em relação ao crime de quadrilha", proclamou.

Luiz Fux tentou acudir, e comentou baixinho: "Tenho a impressão de que não há previsão de multas." Barbosa insistiu, chamando a atenção para seu próprio erro: "A previsão de multa é genérica." Não era, não, e Celso de Mello e Ayres Britto, consultando o código, alertaram que, naquele artigo, não havia previsão de multa. O relator não se fez de rogado: "Nesse caso, eu mudo meu voto, eliminando a imposição de multa." Cometeria outro erro ao tratar do episódio de corrupção ativa de Marcos Valério em relação ao diretor do Banco do Brasil Henrique Pizzolato. Barbosa baseou sua condenação em legislação de novembro de 2003, que aumentou a pena para esse tipo de crime, mas Lewandowski chamou atenção para o fato de que o delito acontecera antes, sob a vigência de uma lei mais branda.

O relator ainda argumentou que a propina recebida por Pizzolato fora paga em janeiro de 2004, mas vários ministros lembraram-lhe que, pela legislação, o crime acontece quando se promete vantagem indevida a funcionários ou se a oferece, e não quando a propina é entregue.

Ainda tentando manter a punição mais dura, argumentando que, pelo Código Penal, a pena é aumentada de um terço se, em razão de vantagem ou promessa, o funcionário retarda ou pratica um ato infringindo o dever funcional, Joaquim Barbosa alegou: "Eu não contemplei." O presidente do STF perguntou: "Então, Vossa Excelência vai aumentar?" O relator disse que não, e tentou convencer os colegas de que uma coisa contrabalançaria a outra.

Quando o item foi colocado em votação, a primeira ministra a votar foi Rosa Weber, que acompanhou o revisor justamente por ter dado a pena com base na legislação adequada. Barbosa, que já dissera que Lewandowski "barateava" o crime com uma punição mais leve, buscou retomar o debate, e lembrou que o montante desviado "é extremamente considerável".

Propôs aplicar a cláusula de aumento da pena. Foi, porém, aparteado por Ayres Britto: "Partindo da legislação penal vigente no momento." Como a situação estava novamente confusa, Britto suspendeu definitivamente a sessão e pediu que a ministra Rosa Weber retirasse seu voto, para que o relator pudesse refazer o seu e reapresentá-lo hoje.

Se os ministros não se reunirem antes da sessão de hoje para articular um entendimento mínimo sobre os critérios adotados, a definição da dosimetria não apenas não terminará amanhã, como estava previsto, como os advogados de defesa terão base para muitos embargos infringentes e de declaração.

[Quinta-feira, 25/10/2012]

Definições

O Supremo estabeleceu ontem os parâmetros básicos para a condenação do ex-ministro José Dirceu, considerado o "chefe da quadrilha" do mensalão. A maioria, à exceção costumeira de Ricardo Lewandowski e Dias Toffoli, votou pela condenação do publicitário Marcos Valério, proposta pelo relator Joaquim Barbosa, a sete anos e oito meses, em regime de continuidade delitiva, pelo crime de corrupção ativa.

Anteriormente, Valério já fora condenado a dois anos e onze meses pelo delito de quadrilha, os mesmos crimes de que é acusado Dirceu. A soma dos dois dá uma pena de dez anos e sete meses, suficiente para que a condenação seja cumprida em regime fechado por, pelo menos, um ano e sete meses. No entanto, a punição de Dirceu para os crimes de corrupção ativa deve ser maior, pois ele, além de chefiar todo o esquema, era o principal ministro do governo na ocasião dos delitos, o que só agrava sua situação. De todo modo, pegará pena bem menor que a do publicitário, que ultrapassou o máximo, trinta anos, permitido pela legislação brasileira.

A condenação de Valério a uma pena agravada pelos nove crimes de corrupção ativa foi possível graças a uma sugestão do ministro Celso de Mello, que induziu o relator a refazer seu voto dentro de novas bases, suscitadas pelo revisor. Como que confirmando a acusação renovada de Barbosa de que "barateava" o delito com punições mais leves — afirmação pela qual o relator depois se desculpou —, Lewandowski chamou atenção corretamente para a existência da súmula 711 do STF, segundo a qual, sobre crimes continuados, quando ocorridos além da data de promulgação de nova lei penal, deve ser aplicada a legislação que possui pena mais grave. Mesmo recorrendo ao método correto, que não fora utilizado pelo relator, Lewandowski propôs três anos de reclusão, punição mais branda que aquela proferida por Barbosa com base em legislação menos severa.

O julgamento de ontem teve novo bate-boca entre Barbosa e Lewandowski, e, a despeito de ter resvalado no clima de baixaria, acabou sendo útil para a definição de parâmetros da dosimetria. Saiu-se do debate com a decisão plenária de se aplicar penas rigorosas, mas obedecendo estritamente à individualização e, quando cabível, ao critério de benignidade. Barbosa perdeu o controle a certa altura e acusou Lewandowski de estar advogando para o réu, o que provocou intervenção do próprio presidente do STF, Ayres Britto, que, alteando a voz como raramente sucede, afirmou: "Aqui ninguém advoga para ninguém, aqui somos todos juízes."

Barbosa queixava-se dos critérios do revisor, que considerou muito brandos para os crimes cometidos por Valério, e insinuou que Lewandowski estaria "plantando para colher mais adiante", uma indicação de que preparava o terreno para reduzir a pena de outros réus, provavelmente referindo-se a José Dirceu.

Declarando-se desgostoso, chegou a citar um artigo recente do *New York Times* — "um jornal que costumo ler" — que classificava o sistema judicial brasileiro de "risível", opinião com a qual se alinhava. No ápice da discussão, Barbosa disse que não concordava "com o sistema brasileiro", o que provocou reação da maioria do plenário. Na verdade, o que o relator queria, mas perdeu-se em acusações graves, que teve de retirar mais à frente, era reduzir a possibilidade de as condenações tornarem-se inúteis pela possibilidade de progressão das penas prevista na legislação brasileira.

Ele analisava cada crime individualmente, enquanto Lewandowski insistia em que o conjunto das punições deveria ser considerado. No caso de Valério, mesmo que em um dos itens o revisor tenha conseguido reduzir a pena sugerida pelo relator, a somatória das condenações ficará bem acima do máximo permitido pela lei. Mas para os demais, Dirceu e José Genoino, que são acusados de apenas dois delitos — corrupção ativa e quadrilha —, o critério terá de ser outro. Genoino poderá contar com a condescendência de alguns juízes, pois até Ayres Britto já o citou como elemento menos importante no esquema de Dirceu.

[Sexta-feira, 26/10/2012]

Preocupação saudável

Mesmo que demonstrem que estão aprendendo, na prática, a formular dosimetrias, sem conseguir assim fazer com que a conclusão do julgamento do mensalão deslanche, os ministros do STF têm externado publicamente suas preocupações com a coerência de seus votos, sempre no sentido de não atribuir aos réus penas que não correspondam à real participação de cada um no esquema de corrupção.

Os desacordos a que estamos assistindo, ao vivo e em cores, aconteceriam do mesmo modo se as reuniões fossem realizadas nos bastidores do STF. Só não saberíamos o que se passou, e o acórdão com penas e demais deliberações seria divulgado já escoimado de todos os erros e incoerências verificados nas discussões da dosimetria.

Este é um dos problemas da decisão de transmitir as sessões ao vivo pela TV. O que pode parecer, a nós, leigos, desencontro impensável entre ministros que deveriam saber como proceder numa hora dessas é, na verdade, debate normal sobre a aplicação de penas em processo atípico, que reúne vários réus, alguns dos quais acusados em muitos crimes, e vários delitos. Como disse ontem o presidente do Supremo, Ayres Britto, a dosimetria é tarefa muito mais simples para um juiz singular do que para um colegiado como o do STF, visto como uma reunião de onze ilhas, cada qual com seu próprio ponto de vista. Saber voltar atrás em decisões pessoais para se adaptar ao voto majoritário é uma tarefa árdua para muitas daquelas personalidades, que estão aprendendo a fazer isso diante dos olhos da opinião pública, os telespectadores.

O que aconteceu ontem foi muito diferente dos primeiros dias da dosimetria, quando houve erros claros no uso de legislação e mesmo na aplicação de pena que não existia na lei. O que se viu ontem foi a preocupação saudável, de todos os ministros, de dar coerência às punições, mesmo que seja preciso revisitar algumas das já dadas a Marcos Valério.

Precisamos de critérios e premissas, bradou, a certa hora, Luiz Fux. Há evidentemente uma diferença conceitual entre o que pensa o relator Joaquim Barbosa e o revisor Lewandowski sobre a aplicação das penas, mas ambos concordam em que seja preciso tomar cuidado para que as punições de todos os réus guardem coerência entre si. E, para isso, se dispuseram a rever seus critérios em relação a Ramon Hollerbach, de modo a que sua pena, no caso de lavagem de dinheiro, seja menor que a de Marcos Valério.

Lewandowski continua insistindo em que é necessário olhar o conjunto da pena de cada réu, para aplicar a dose certa. Barbosa mostra-se irritado com essa tese, pois acredita que, com as brechas que existem na legislação penal brasileira, é preciso ser rigoroso para que a punição não acabe anulada pelos abrandamentos nela contidos. Foi por isso que se insurgiu contra o pedido do advogado de Hollerbach para que o voto do ex-ministro Cezar Peluso, que deu pena mínima para o réu na questão de lavagem de dinheiro, fosse levado em conta na hora da definição total da punição. "Pena mínima que certamente fará com que o crime esteja prescrito", comentou, ironicamente, o relator.

É possível que o julgamento não chegue ao fim antes da aposentadoria compulsória de Ayres Britto, a 18 de novembro. Mesmo que isso aconteça, não haverá grandes problemas porque, como comentou, os critérios já estarão definidos na retomada do julgamento, em 7 de novembro, e ele deixará seus votos por escrito.

A questão a resolver é se o relator Joaquim Barbosa deve assumir a presidência acumulando as duas funções. Embora nada exista no regimento interno que o proíba, como a votação está ancorada no debate entre relator e revisor, seria razoável que outro ministro presidisse as poucas sessões que restarão, para que não pairem dúvidas sobre a condução do julgamento. Especialmente se o núcleo político for o último a ter as penas definidas. [Nota do Editor: Ayres Britto se aposentaria, de fato, antes do fim do julgamento, a 17 de novembro; Joaquim Barbosa o substituiria na presidência do STF, a partir de 22 de novembro, e acumularia o cargo com a relatoria do processo.]

[Sábado, 27/10/2012]

O voluntarismo de Barbosa

As críticas do relator Joaquim Barbosa ao sistema penal brasileiro, feitas no ardor de uma das muitas discussões com o revisor Ricardo Lewandowski, explicam seu empenho em dar penas mais pesadas aos réus, tratando cada crime separadamente, sem a preocupação de calcular a punição como um todo.

Lewandowski alega que vê "a floresta inteira" enquanto Barbosa olharia "apenas uma árvore", dizendo que o relator não tem uma visão holística das condenações. Ao contrário, tudo indica que é a preocupação com a pena total que leva o ministro Barbosa a ter o máximo rigor com cada um dos delitos. Ele pretenderia, ao cuidar de cada árvore separadamente, preservar a floresta como objetivo final.

Quando Barbosa disse que, ao dar pena mínima para Marcos Valério em certo crime, o revisor estava "barateando" a punição, pois o réu não passaria mais que seis meses preso, sem dúvida que sofismava, como afirmou Lewandowski, mas com a clara intenção de manter Valério o maior tempo possível na cadeia, em regime fechado, evitando as brechas que o sistema penal brasileiro — que ele, o *New York Times* e boa parte da opinião pública brasileira consideram "risível" — proporciona aos condenados.

A mesma coisa pode-se dizer de quando Barbosa ironizou o pedido do advogado de Ramon Hollerbach, sócio de Valério, de que fosse levado em conta o voto do ex-ministro Cezar Peluso, que lhe dera pena mínima para lavagem de dinheiro. O relator sugeriu que a punição reduzida faria com que o crime prescrevesse, e vários ministros reagiram ressaltando que esse fato não tinha a menor importância e não deveria ser contemplado na hora de determinar a duração da pena.

Acontece que, pela legislação brasileira, após o cumprimento de 1/6 da punição, o condenado a mais de oito anos pode pedir a transferência do regime fechado para o semiaberto. Embora a pena máxima a ser cumprida seja de trinta anos, o que conta para o cálculo da progressão é o somatório das punições. Logo, se a de Valério for de quarenta anos, somente depois de cumpri-la, em regime fechado, por seis anos e seis meses, poderá pleitear a passagem ao semiaberto. No raciocínio de Barbosa, se os ministros levarem em conta a pena máxima de trinta anos e passarem a condenar os réus a punições mais baixas, para não ultrapassar esse teto, na prática estarão permitindo que condenados por delitos gravíssimos sejam postos fora da cadeia em pouco tempo.

Na sua luta contra a impunidade, é certo, porém, que Barbosa, ao declarar-se contrário ao sistema penal brasileiro, em fala que sabia transmitida pela TV, não contribuiu para o fortalecimento institucional do país. Ao contrário, pôs a opinião pública mais insegura diante da ordem jurídica. Logo ele, hoje tido como referência ética da nação, e que em breve presidirá o STF, justamente a mais alta instância dessa Justiça que critica.

Quando fez a crítica, Barbosa citou o *New York Times* e percebeu que mexera com "os brios ultranacionalistas" de alguns colegas, que, na mesma hora, disseram que vivemos no Brasil e que temos de nos ater às nossas leis. Dias Toffoli ressaltou que nos Estados Unidos há pena de morte, o que não ocorre no Brasil. E Celso de Mello lembrou que a Noruega condenara a apenas vinte anos o homem que assassinara várias pessoas recentemente.

Barbosa teve de explicitar seu ponto de vista, e então declarou que era brasileiro, gostava do Brasil e que lutava precisamente para melhorar a legislação. Mas não vai se livrar de críticas a seu voluntarismo por parte dos advogados de defesa, que se preparam para, nos embargos, acusá-lo de ter atuado com o intuito de condenar os réus. Quando critica nosso sistema penal e se põe claramente a favor de penas mais duras, dá margem a que acusados vejam nele um carrasco e não um juiz. Paralelamente, no entanto, cresce na opinião pública a percepção de que Barbosa é um juiz em busca da Justiça.

Resta acompanhar para ver qual será a influência de sua presidência, pois, ao contrário dos Estados Unidos, onde o presidente da Suprema Corte atua como mediador entre as correntes e tem cargo vitalício, o presidente do STF tem o poder de induzir a pauta, lá e no Conselho Nacional de Justiça (CNJ), que preside também.

[Domingo, 28/10/2012]

Farsa histórica

Querer transformar em heróis os principais líderes condenados pelo mensalão tem o mesmo tom de farsa da afirmativa de que são "prisioneiros políticos julgados por um tribunal de exceção". A defesa de José Dirceu tenta constranger os ministros do Supremo Tribunal Federal da mesma maneira que a de José Genoino buscou, em vão, confrontá-los com uma história de vida que teria "alto valor social" pela luta política tanto contra a ditadura militar quanto na democracia, com a fundação do Partido dos Trabalhadores.

Seria realmente patético se, em consequência dessa classificação esdrúxula de "perseguidos políticos", alguns deles pedissem asilo a "democracias" como Venezuela ou Cuba, capazes, sim, de compactuar com a mentira que decorre da tentativa de repetir a história. Ou o Equador, como fez, desmascarando-se, Julian Assange do *Wikileaks*. Cairiam no ridículo se tentassem pedir asilo a uma democracia verdadeira.

Como escreveu Karl Marx, autor que deveria ser conhecido pelos réus que pretendem dar contornos políticos à roubalheira em que foram apanhados, a história se repete, "a primeira vez como tragédia e a segunda como farsa".

Pois Genoino, ex-presidente do PT, e Dirceu, ex-ministro-chefe da Casa Civil, tentam trazer para o presente o passado, que para muitos foi heroico, e assim justificar os crimes que praticaram contra a democracia, a favor da qual dizem ter lutado. Nada indica, contudo, que a Guerrilha do Araguaia, promovida pelo PCdoB maoísta, almejasse instalar no Brasil um governo democrático, nem que José Dirceu, do Molipo (Movimento de Libertação Popular), tenha ido a Cuba aprender democracia.

Mesmo sem entrar nos eventuais méritos que tenham na luta política, esses "valores sociais" só fariam agravar a atuação dos dois no episódio em julgamento, pois estariam traindo seus "ideais democráticos", agindo contra a própria democracia.

O ex-guerrilheiro José Genoino já se transformara em um perverso formulador da história ao se dizer vítima de novos torturadores da imprensa, que, em vez de pau de arara, usariam a caneta para lhe infligir sofrimentos. Tal desvirtuamento de ideias, que transforma a liberdade de expressão e de informação em instrumentos de tortura, mostra bem a alma tortuosa desse político metido em bandidagens à guisa de impor um projeto "popular".

Transformar um bando de delinquentes, na definição do ministro Celso de Mello, em heróis é tentativa de vitimizar os condenados, dando conotações políticas elevadas ao que não passou de um assalto aos cofres públicos com o objetivo de perpetuar um partido no poder através do desvirtuamento da própria democracia.

No julgamento, alguns ministros, mesmo que sugerindo respeito, ressaltaram que não estavam avaliando o passado dos réus, mas os fatos nos autos do processo. Autos produzidos no sistema judiciário democrático, sob a atuação do Ministério Público Federal, um avanço da Constituição de 1988 (que o PT se recusou a assinar).

Os dois procuradores que atuaram no caso, Antonio Fernando de Souza e Roberto Gurgel, foram nomeados pelo ex-presidente Lula, e sete dos dez atuais ministros do Supremo Tribunal Federal são indicações de Lula e Dilma.

Sem falar que o PT está no governo há uma década, e o processo se desenvolveu nos últimos sete anos. Todos esses pontos tornam ridícula a alegação de que os condenados foram vítimas de um complô "da direita" em conluio com a "mídia golpista".

Até Lula, de fora do processo, mas cada vez mais dentro do projeto de poder beneficiário dos golpes cometidos, saiu-se com a tirada de que já fora "absolvido pelas urnas", para tanto alegando sua reeleição, seus 80% de popularidade e a eleição de Dilma. Fora o ato falho de admitir que alguma coisa fizera para ser absolvido, o ex-presidente teve de ouvir dos ministros, em diversas ocasiões, que eleição não tem o dom de apagar os delitos cometidos.

Essa tentativa, de Dirceu, de colocar-se como um grande brasileiro com "valor social" tem a ver com a possibilidade de anistia por parte da presidente da República, hipótese aventada para o fim do ano. Seria um acinte ao STF, um escândalo para a opinião pública e um reforço à percepção de que, no Brasil, quem tem amigos poderosos não vai para a cadeia.

[Quinta-feira, 1/11/2012]

Conflito de poderes

Pelo jeito teremos, encerrado o julgamento do mensalão no Supremo Tribunal Federal, uma disputa entre poderes para o cumprimento de penas pelos réus que possuem mandato parlamentar. Crise que pode ser agravada pelo PT se insistir na tese, legal, mas aética, de que o ex-presidente do partido José Genoino deve assumir a vaga do deputado Carlinhos Almeida, eleito prefeito de São José dos Campos.

Genoino, condenado por corrupção ativa e formação de quadrilha, tem direito a uma cadeira na Câmara dos Deputados por ser o primeiro suplente do PT paulista. Pela Constituição, pode assumir, pois a sentença ainda não transitou em julgado, o que só ocorrerá após a publicação do acórdão com a decisão e a análise dos diversos embargos que sua defesa deve impetrar junto ao STF. Toda essa tramitação terá início, no mínimo, seis meses depois do término do julgamento e da definição das penas, tempo previsto para a publicação do acórdão, o que deve ser atrasado também pelo recesso de fim de ano do Judiciário, que começa a 20 de dezembro e vai até o início de fevereiro.

Esses prazos tornam previsível que os réus condenados só comecem a cumprir as punições a partir de agosto de 2013.

Até lá, o deputado federal João Paulo Cunha continuará como deputado federal, e Genoino poderá assumir o mandato.

Há diversos exemplos de deputados que, embora já condenados, continuam trabalhando normalmente no Congresso. No caso de Asdrúbal Bentes, do PMDB do Pará, acusado de trocar laqueaduras por votos em Marabá, o acórdão demorou quase dez meses para sair no *Diário da Justiça*. E falta ainda o STF analisar o embargo infringente da defesa.

Outro deputado, Natan Donadon, do PMDB de Roraima, condenado por peculato e formação de quadrilha, está há um ano e meio aguardando a decisão do STF sobre um embargo de declaração de sua defesa, embora esteja condenado a treze anos de prisão, o que implica regime fechado. E há ainda o caso recente do vereador Tiago Kriesel, do PTB, que, mesmo preso, foi reeleito em Bom Progresso, no noroeste do Rio Grande do Sul.

Quando Cezar Peluso, antes de se aposentar, deixou seu voto por escrito, incluindo nele a pena de perda do mandato parlamentar de João Paulo Cunha, começou um debate sobre a independência dos poderes da República. Os ministros do Supremo Tribunal Federal consideram que, se a posição de Peluso prevalecer no plenário, a Câmara dos Deputados terá de cumprir a decisão. Marco Aurélio Mello chegou a declarar que "é impensável" o Legislativo não cumprir uma determinação do órgão máximo do Poder Judiciário.

Já Marco Maia (PT-RS) usa a Constituição Federal para garantir que a decisão é da Câmara dos Deputados, da qual é presidente. De fato, o artigo 55 determina que, entre outros casos, perderá o mandato o deputado ou senador "que sofrer condenação criminal em sentença transitada em julgado" ou que "perder ou tiver suspensos os direitos políticos".

Na primeira hipótese, a perda de mandato será decidida pela Câmara dos Deputados ou pelo Senado Federal "por voto secreto e maioria absoluta, mediante provocação da respectiva Mesa ou de partido político representado no Congresso Nacional, assegurada ampla defesa". Já na hipótese de perda ou suspensão dos direitos políticos, "a perda será declarada pela Mesa da Casa respectiva, de ofício ou mediante provocação de qualquer de seus membros, ou de partido político representado no Congresso Nacional, assegurada ampla defesa". Dependendo da decisão do STF, a Câmara terá o direito de apoiá-la ou não por votação secreta, ou terá somente de declarar a perda do mandato.

Se o ex-presidente do PT José Genoino, mesmo condenado, decidir assumir o mandato de deputado federal até que a sentença transite em julgado, estará apenas colocando um complicador a mais na questão, em uma tentativa de tumultuar o julgamento e de dificultar suas consequências.

[Sexta-feira, 2/11/2012]

Lula no seu labirinto

O julgamento do mensalão, que se encaminha para o fim com a definição das penas dos condenados, após o STF ter decidido que houve, sim, desvio de verba pública para compra de apoios políticos, clareou o cenário para a discussão sobre se o ex-presidente Lula sabia ou não do que ocorria "entre quatro paredes" no Palácio do Planalto, o aspecto mais delicado, politicamente, desse processo.

Desde que estourou o escândalo do mensalão, em 2005, muitas vezes surgiu a insinuação de que o então presidente sabia de toda a trama, como quando se atribuiu ao próprio José Dirceu a afirmação, jamais desmentida, de que nada fazia sem que Lula autorizasse. Nos últimos dias, entrevistas e declarações diretas ou atribuídas a participantes do esquema revelam novos detalhes, todos convergindo no sentido de afirmar que o ex-presidente foi parte ativa da trama.

O publicitário Marcos Valério, em depoimento ao Ministério Público, acusou Lula de ser o responsável pelo esquema do mensalão e acrescentou, no rol dos envolvidos não julgados neste processo do STF, o ex-ministro Antonio Palocci. Valério pede os benefícios da delação premiada, diz-se ameaçado de morte e solicita sua inclusão no serviço de proteção às testemunhas.

Ex-mulher de Dirceu, Clara Becker disse à repórter do *Estadão* Débora Bergamasco que tanto ele quanto José Genoino "estão pagando pelo Lula". E relançou a pergunta que está no ar há sete anos: "Ou você acha que o Lula não sabia das coisas, se é que houve alguma coisa errada? Eles assumiram os compromissos e estão se sacrificando." Difícil crer que a mulher que viveu com Carlos Henrique, a persona incorporada por Dirceu no interior do Paraná, sua amiga até hoje, mãe do deputado federal Zeca Dirceu, declare isso sem conhecimento de causa e, sobretudo, sem a autorização do próprio. [Nota do Editor: a entrevista com Clara Becker foi publicada por *O Estado de S. Paulo* na edição de 31 de outubro de 2012.]

A revista *Veja* tem em seu poder entrevista gravada em que Marcos Valério diz que Lula é o verdadeiro chefe por trás do esquema do mensalão. Nessa gravação, cujos detalhes mais importantes a revista publicou atribuindo a comentários de Valério com seus amigos, o publicitário fala da morte do prefeito Celso Daniel, episódio que também teria abordado em seu depoimento ao Ministério Público Federal. Essa parte ainda não foi revelada por *Veja*, pois a revista considerou que se tratava de assunto de que Valério não participara diretamente, sendo suas denúncias fruto do que ouviu dizer.

No próprio julgamento, o advogado Luiz Francisco Barbosa, que defende Roberto Jefferson, acusou o ex-presidente de ser o verdadeiro mandante dos crimes. Ele se baseou na tese do "domínio do fato", que levou o procurador-geral a acusar José Dirceu como o "chefe da quadrilha", e garantiu que os ministros envolvidos "eram apenas agentes de Lula". A repercussão dessa denúncia só foi neutralizada devido à posição dúbia de Roberto Jefferson, que acusou e defendeu Lula ao longo destes sete anos.

Da mesma forma, o advogado Marcelo Leonardo, que defende Valério, apresentou um memorial afirmando que seu cliente foi o bode expiatório de um esquema que tinha outros líderes, insinuando que entre eles estava o ex-presidente.

Com o depoimento de Valério ao Ministério Público Federal, abre-se a perspectiva de uma investigação sobre a participação de Lula nos episódios. Os partidos de oposição anunciaram uma representação na Procuradoria neste sentido, pois Lula, tendo sido o principal beneficiário do esquema criminoso, pode estar envolvido, e "todos os brasileiros querem saber se teria sido o seu mandante também; essa pergunta precisa de resposta", afirmou o presidente do PPS, Roberto Freire.

O tema saiu da redoma que o protegia há sete anos e está colocado publicamente. Seria bom se Lula viesse a público dar sua versão dos fatos, em vez de querer negá-los. Mas teria de ser uma versão definitiva, com começo, meio e fim, e não as várias, desencontradas, que vem dando ao longo desse período, quando já vestiu a roupa de traído, já pediu desculpas "pelos graves erros cometidos", já disse que se tratava de caixa dois e, por fim, prometeu provar que tudo não passara de uma "farsa" cujo objetivo seria sua deposição.

[Domingo, 4/11/2012]

Coerção social

A confirmação de que a presidente Dilma nunca levou em conta a sugestão de não comparecer à posse do relator do mensalão, ministro Joaquim Barbosa, na presidência do Supremo Tribunal Federal, é um alívio para quem se preocupa com os avanços de certas áreas petistas sobre a institucionalidade democrática.

Não ir à solenidade seria, ao ver desses setores, maneira de demonstrar a insatisfação do governo com as condenações do mensalão. Há indicações de que o próprio Lula estaria insistindo nessa atitude por parte da presidente, o que, se confirmado, demonstraria total descontrole.

Na verdade, esse "protesto" significaria transformar questão de Estado em partidária, prática comum entre petistas, mas já superada, pelo menos em termos oficiais, desde que Lula, em seu primeiro mandato, desistiu de andar com uma estrela do PT na lapela e trocou-a por um escudo da República. A estrela vermelha do partido nos jardins do Alvorada, plantada por dona Marisa Leticia, foi outra afronta, aos princípios do republicanismo e ao trabalho de Burle Marx, também superada.

Paralelamente, esses setores petistas radicais, empenhados em confrontar a democracia, estão sempre dando uma ajuda à imagem institucional da presidente, que sai desses embates com a figura engrandecida. Diante de tanta insensatez, uma atitude sensata passa a ser elogiável. Suspeito que tudo não passe de uma jogada bolada por João Santana.

Passado o primeiro choque, vai o PT retornando à normalidade democrática, em que sua atuação está circunscrita às normas da lei, ultrapassada a tentativa de emparedar o STF e a liberdade de imprensa.

A condenação de todo o alto comando partidário petista é, ao mesmo tempo, a condenação de uma forma de fazer política que a democracia abomina, como ressaltou o ministro Ayres Britto em uma das suas intervenções durante o julgamento. A consequência é o estreitamento da margem de manobra do grupo petista, que parece ainda insistir na prática agora rejeitada, como se o que ocorre não tivesse impacto sobre o comportamento do eleitor médio brasileiro.

O PT alegar que a vitória nas eleições municipais, da qual emergiu como sigla mais votada e com a prefeitura de São Paulo, seria uma absolvição por meio das urnas significa não apenas admitir a necessidade de absolvição como transformar cada derrota que teve em uma condenação.

Nada disso aconteceu, o PT não foi absolvido pelas urnas e precisa dar à sua vitória eleitoral a verdadeira dimensão: um passo adiante na organização partidária, sem dúvida a estrutura mais azeitada entre todas as que disputam o eleitorado. Se continuar atrelado a esse passado, que já foi condenado, e ainda não totalmente revelado, insistindo em se colocar acima da lei, afrontando os poderes da República, ficará marcado pela imagem que ainda é predominante, a de um partido de tendência autoritária.

A renovação do PT, tese que Lula defendeu com méritos na campanha paulistana, tem de corresponder a atitudes renovadas, o que não ocorre na mesma São Paulo, onde um vergonhoso acordo pós-eleitoral une o prefeito Gilberto Kassab, caça preferencial da disputa recém-encerrada, ao caçador, numa prática nefasta que permitiu a Paulo Maluf cantar o jingle lulista.

Do jeito que vai, com a defesa dos mensaleiros e o exercício político de perverso pragmatismo, a tese da renovação não passa de tática marqueteira imediatista. Como tampouco disso passa a insistência com que setores petistas, inconformados com o que classificam de distorções do STF, exigem que o mesmo tratamento seja dado ao mensalão tucano. Ora, se veem nas condenações de agora injustiças, como desejam que o mesmo "julgamento de exceção" se repita? Seria uma contradição não fosse mera estratégia de disputa política.

O adiamento de uma suposta nota de protesto contra a "mídia golpista" e o Supremo é sinal de que, mesmo a contragosto, esses grupos ainda têm juízo suficiente para saber suas limitações. Mesmo que o tenham feito com receio de exacerbar os ânimos antes da definição das penas, é uma demonstração de que a coerção social funciona.

[Terça-feira, 6/11/2012]

O fator Valério

Há realmente um movimento, incipiente ainda, entre os ministros do STF, para que se reduzam as penas de Marcos Valério e Roberto Jefferson devido ao papel que tiveram no processo da Ação Penal 470. Ao dar informações que ajudaram nas investigações, os dois teriam direito à benevolência da corte, embora em nenhum momento do julgamento essa hipótese tenha sido aventada em relação ao publicitário. Há dúvidas sobre se a lista de receptores do dinheiro desviado dada por Valério foi relevante ou se a entregou porque já estava tudo desvendado.

Quanto a Jefferson, o ministro Luiz Fux chegou a defender a redução da pena por ter sido ele o denunciante do esquema, sem o qual não teria sido possível o processo. Seu caso é mais fácil, pois suas penas ainda não foram definidas e, condenado por corrupção passiva e lavagem de dinheiro, deve ser punido com menos anos que Valério. Embora o advogado do publicitário o considere um "réu colaborador", essa condição ainda não foi formalizada, e em nenhum momento o relator Joaquim Barbosa se referiu a essa distinção ao estabelecer as penas para o principal operador do mensalão. Ao contrário, pediu punições duras a Valério, e os ministros o seguiram. Soa estranho que agora decidam reduzir a pena por uma colaboração que não foi levada em conta quando de sua definição.

A questão mais importante é haver, na corte, quem queira organizar movimento nesse sentido, pois qualquer ministro pode levantar a hipótese enquanto a dosimetria não chegar ao fim. Embora nada tenha a ver com as novas versões que Valério teria dado em depoimento ao procurador-geral da República, Roberto Gurgel, em setembro, a eventual diminuição de sua pena total, que hoje chega a quarenta anos, pode indicar boa vontade do STF em relação a novos julgamentos em que seja réu. [Nota do Editor: Roberto Jefferson teria a pena reduzida em um terço — de dez anos, seis meses e dez dias para sete anos e catorze dias — devido à sua "colaboração voluntária"; o mesmo entendimento, porém, não seria aplicado à situação de Marcos Valério.]

Outro aspecto que terá de ser avaliado cuidadosamente pelos ministros é a segurança de Valério, que se consideraria ameaçado. Gurgel ontem disse que, pelas informações que tem, não existe, por ora, motivo para lhe oferecer resguardo especial, mas já há ministros que entendem seu pleito, de entrar no programa de proteção a testemunhas, como "pedido de socorro". Outros, no entanto, consideram que tudo não passaria de um golpe do publicitário para se livrar da cadeia, e há indicações de que, até o momento, não deu garantias de que o que já disse, ou tem a dizer, pode ser apoiado por provas. Na verdade, está em curso uma espécie de queda de braço entre o Ministério Público e a defesa de Valério, cada um tentando saber até onde o outro pode ir.

A questão mais delicada politicamente é a que envolve o ex-presidente Lula, não incluso na Ação Penal 470, mas que é acusado, em representação do procurador regional da República Manoel do Socorro Tavares Pastana, de crime de responsabilidade por suposta atuação em benefício do banco BMG no crédito consignado a aposentados e pensionistas do INSS. O juiz Paulo Cezar Lopes, da 13ª Vara Federal, ainda não decidiu se recebe a denúncia. Não há provas que atestem "categoricamente" vínculo entre o suposto auxílio ao BMG e o mensalão, mas a ação tem indícios claros de que o BMG foi beneficiado pela burocracia federal, o que pode indicar favorecimento em troca dos empréstimos, considerados fictícios pelo STF, dados pelo banco ao PT e a Valério.

Relatório do TCU de 29 de setembro de 2005, por exemplo, aponta o BMG como a instituição financeira cujo processo no INSS correu de forma mais célere. Teriam se passado apenas cinco dias entre a publicação do decreto, que abria a exploração do crédito consignado para todas as instituições financeiras, e a manifestação de interesse do banco, e outros oito dias para a celebração do convênio, quando um processo desses leva, em média, dois meses. Essa agilidade teria permitido, segundo a denúncia, que o BMG fosse a única instituição não pagadora de benefício previdenciário a atuar só no mercado de empréstimos consignados a aposentados e pensionistas por quase dois meses, de agosto a outubro de 2004.

As informações que eventualmente Valério tiver sobre essa questão, e outras, podem favorecê-lo em processos abertos ou futuros, agora já com a figura da delação premiada, que não pode ser usada para a redução da pena do mensalão.

[Quarta-feira, 7/11/2012]

O STF e a sociedade

Os relatos são de que o relator do mensalão no STF, Joaquim Barbosa, continua recebendo manifestações de carinho por onde anda, e ele mesmo tem uma explicação para o fenômeno de popularidade em que se transformou: "Este julgamento trouxe o tribunal para dentro das famílias, e o resto do que vem acontecendo no plano pessoal é consequência disso. Há muito carinho por parte das pessoas", comentou ontem, após alguns dias na Alemanha.

Sobre sua popularidade pessoal — é o maior "vendedor" de máscaras de carnaval, o que demonstra que caiu no gosto do povo —, disse: "Sou simplesmente um cidadão que cumpre seus deveres e obrigações, nada além disso." Barbosa estava de bom humor em Aracaju, onde participou do 6º Encontro Nacional do Poder Judiciário. Ele atribui a súbita popularidade que os ministros do Supremo ganharam a uma participação maior da sociedade nas questões jurídico-institucionais.

O acompanhamento do julgamento pela TV tem, ao contrário, trazido problemas a Ricardo Lewandowski, perseguido por populares quando foi votar, em 28 de outubro. O constrangimento causado ao revisor do processo do mensalão fez com que o presidente do STF, Ayres Britto, saísse em sua defesa, dizendo que os ministros precisam de paz para trabalhar.

Junto com Dias Toffoli, Lewandowski é identificado pela opinião pública como "defensor" dos acusados, o que já provocou discussão entre ele e Barbosa, cada um apontando o outro, respectivamente, como advogado de defesa e membro do Ministério Público. Foi preciso que, de novo, Ayres Britto interviesse para deixar claro que, no STF, são todos juízes e que "ninguém advoga para ninguém".

As sessões do julgamento do mensalão serão retomadas hoje, com ingredientes novos em pauta. Tratamento mais benevolente quanto ao réu Marcos Valério estará em discussão, assim como a necessidade ou não de lhe dar proteção especial.

Era previsível que, anunciadas as penas, o publicitário, que teve o comando operacional da tramoia, se sentisse abandonado pelos petistas, que passaram anos garantindo-lhe que nada aconteceria. Com a perspectiva de passar muitos anos na cadeia, Valério tenta safar-se com o que de mais importante possui: informações. Precisará convencer os ministros de que aquilo que diz saber, e que ainda não revelou, é mais do que simples tentativa de safar-se da prisão. Quem esteve com ele, e recebeu as primeiras informações em setembro, foi o procurador-geral da República, Roberto Gurgel, que parece convencido de que o réu tem dados novos, que podem pô-lo em perigo, embora, até agora, não precise de maiores proteções.

O *timing* de Valério parece dessincronizado com o andamento do processo. Até o último momento, parecia convencido de que conseguiria escapar sem maiores consequências. A pena de quarenta anos de prisão, porém, equivalente a cerca de sete anos de regime fechado, deixou-o de olhos bem abertos, e agora corre atrás de seu próprio prejuízo. A tentativa de transformar em crime continuado os delitos de concurso material a que já foi condenado é a busca de uma redução de danos ainda dentro do julgamento do mensalão.

Para estimular a boa vontade da corte, seu advogado tem batido na tecla de que Valério foi quem entregou à Justiça a lista com a relação dos recebedores de dinheiro indicados por Delúbio Soares, o ex-tesoureiro do PT. Somente em suas alegações finais o defensor destacou tal atuação do publicitário na fase da investigação, como a lembrar a importância de seu cliente para o processo. Será interessante ver a discussão dos ministros sobre os critérios para beneficiar este ou aquele réu.

Quem assiste ao julgamento pela TV acompanha discussões que normalmente acontecem entre quatro paredes, da mesma maneira que os crimes do mensalão eram tramados. Mesmo com a exposição de eventuais erros, agora, é a transparência da democracia que comanda o espetáculo e populariza o Supremo Tribunal Federal.

[Quinta-feira, 8/11/2012]

A mão pesada de Barbosa

No que depender do relator Joaquim Barbosa, o publicitário Marcos Valério não terá penas reduzidas por ser, na definição de seu advogado, Marcelo Leonardo, um "réu colaborador" no processo do mensalão. De volta da Alemanha, tão assertivo quanto anteriormente, Barbosa bateu-se ontem no plenário contra os ministros que queriam diminuir a punição de Valério, que já soma cerca de quarenta anos.

O advogado do publicitário mandara um memorial aos juízes pedindo que os cinco crimes contra o patrimônio público fossem considerados como "continuidade delitiva", e não delitos separados. O ministro Marco Aurélio Mello teve uma discussão, das mais acaloradas, com o relator quando defendia o uso do critério de "continuidade delitiva" para algumas penas, em lugar do "concurso formal".

Marco Aurélio chegou a dizer que o Supremo Tribunal Federal não pode estabelecer "critérios de plantão" para fixar a punição dos condenados no processo do mensalão, por mais graves que sejam seus delitos. A diferença de critérios é básica para a fixação das penas.

Pelo "concurso material", quando o mesmo crime é cometido várias vezes em ações distintas, há uma pena separada para cada delito. Na "continuidade delitiva", o juiz considera que o mesmo crime foi praticado diversas vezes de forma continuada. Nesses casos, aplica-se a punição mais grave, acrescida de um sexto a dois terços.

Joaquim Barbosa considera inaceitável a interpretação que resulta em penas mais leves nos casos em julgamento, pelas suas gravidades. Por isso, quando Marco Aurélio começou a defender a tese da "continuidade delitiva" para Marcos Valério, o relator fez um ar que o colega considerou debochado. Marco Aurélio reagiu: "Cuide das palavras que venha a utilizar quando eu estiver votando. Não sorria, porque a coisa é muito séria. Nós estamos no Supremo. O deboche não cabe", disse. E acrescentou: "Não admito que Vossa Excelência suponha que só haja salafrários neste plenário, e apenas Vossa Excelência é vestal."

Na defesa de sua posição, Barbosa voltou a se confrontar com Ricardo Lewandowski, que tentava reduzir a pena de Ramon Hollerbach lendo declarações sobre a seriedade e a probidade do publicitário sócio de Valério. O relator não se conteve e ironizou, afirmando que Lewandowski estava transformando "criminosos em anjos", para concluir que a postura do ministro revisor era "inadmissível".

Para se defender das críticas de que esteja sendo leniente, Lewandowski lembrou que, pelas suas condenações, Ramon Hollerbach pegaria "mais de doze anos, uma pena não muito comum na Justiça brasileira". Outra discussão entre os juízes, ainda em torno do rigor excessivo das punições, foi sobre a definição da base que determinará o tamanho final da pena.

Joaquim Barbosa chamou a atenção para estudos que indicam uma tendência dos juízes brasileiros de confundir "pena-base" com "pena mínima", o que reduz a condenação final. O penalista de São Paulo Guilherme Nuth, citado pelo relator, considera que, como essa conduta é dominante, a maioria dos juízes despreza "os riquíssimos elementos para escolher entre o mínimo e o máximo para cada ação penal, e a pena ideal para cada réu".

A posição mais severa de Barbosa continua majoritária no plenário do Supremo Tribunal Federal, embora esteja difícil estabelecer critérios consensuais que possam apressar a definição das penas. Na retomada do julgamento, ontem, os mesmos problemas surgiram, com um desencontro entre o relator e o revisor, o que tem obrigado a diversas interrupções para debates de conteúdo das decisões.

A preocupação com a prescrição de algumas penas, como a de lavagem de dinheiro, era um dos objetivos da aplicação de punição maior por parte do relator Joaquim Barbosa. A marcha da decisão do STF em relação às penas dos réus do mensalão indica que este julgamento não terminará tão cedo, e, na falta de critérios objetivos que norteiem as definições, é previsível que os advogados de defesa tenham muitas razões para apresentar embargos ao seu final, retardando a execução das punições.

[Sexta-feira, 9/11/2012]

Rigor contra corrupção

A decisão não foi apenas a de que entreguem os passaportes. Consistiu, também, na comunicação formal ao Ministério da Justiça de que só podem viajar ao exterior consultando o Supremo. Isso porque os advogados de defesa consideravam inócua a medida, pois é possível viajar por todos os países vizinhos apenas com a carteira de identidade.

José Dirceu, condenado e à espera de punição, classificou de "populismo jurídico" a tomada de seu passaporte antes da definição da pena e do trânsito em julgado do processo. Mas o procurador-geral quer mais: insiste na proposta de que todos os condenados sejam presos imediatamente ao fim do julgamento e aguardem na cadeia os recursos impetrados por suas defesas.

Quanto a essa medida, há uma divisão no plenário do STF, e parece tarefa difícil obter maioria para a prisão imediata dos condenados antes que o colegiado aprecie os recursos. Há, no entanto, entre boa parte dos ministros, a certeza de que o julgamento é exemplar e o desejo de não permitir que os réus escapem de uma punição severa por brechas da legislação brasileira. Até agora, todos os acusados do chamado "núcleo operacional" pegaram penas que os levarão para a cadeia, em regime fechado, por um bom tempo, e tudo indica que essa tendência se repetirá nos chamados núcleos "político" e "financeiro".

Convém lembrar que pesquisas anteriores mostravam a sociedade brasileira cética quanto aos resultados, ao mesmo tempo que os principais acusados consideravam abertamente que o julgamento não se realizaria tão cedo, ou que não seriam condenados. Ainda repercute o comentário cínico do réu Delúbio Soares, segundo quem, ao fim de alguns anos, o mensalão não passaria de uma piada de salão. O fato de que banqueiros, empresários, políticos e ex-ministros de Estado estejam no banco dos réus, todos criminosos de colarinho-branco, a maioria condenada à prisão fechada, é um sinal para a sociedade de que a impunidade está sendo superada pela aplicação rigorosa da lei.

Além da expectativa de que as decisões do Supremo repercutam nas instâncias inferiores de nosso Judiciário, há também a disposição de Joaquim Barbosa de colocar o combate à corrupção como prioridade sua à frente do Conselho Nacional de Justiça.

O sistema brasileiro, tanto no STF quanto no CNJ, é presidencialista, em decorrência de que o presidente tem o poder de pauta, que é muito grande. Não foi por outra razão que o julgamento do mensalão entrou na agenda do Supremo na presidência do ministro Ayres Britto, que queria se aposentar com o sentimento de dever cumprido. Essa influência do presidente do STF tem a desvantagem, como analisa o jurista Joaquim Falcão, de descontinuar as políticas administrativas, tanto lá quanto no Conselho Nacional de Justiça. Gilmar Mendes, por exemplo, era a favor de que os julgamentos dos juízes fossem públicos quando estava no CNJ. Já Cezar Peluso, no mesmo cargo, queria que todos corressem sob segredo de Justiça. Nelson Jobim, por sua vez, priorizou o combate ao nepotismo e o teto salarial, que não foram prioridades dos sucessores.

Voluntarista, irascível e, por isso, popular, Barbosa está imbuído de uma missão, e volta e meia dá sinal disso no julgamento. Anteontem, em meio a uma das mais sérias discussões com Marco Aurélio Mello, tentou voltar à votação argumentando: "É isso que a sociedade espera de nós."

Teremos nos próximos anos um CNJ pró-ativo no combate à corrupção, sob a presidência de Barbosa, o que é um indício de que o mesmo espírito que dirigiu o julgamento do mensalão permanecerá comandando o Judiciário brasileiro.

[Sábado, 10/11/2012]

Avanços democráticos

No debate realizado ontem pelo site de *O Globo*, do qual participei juntamente com Ricardo Noblat, tivemos oportunidade de acompanhar uma narrativa do ponto de vista jurídico, por parte de professores de Direito da FGV do Rio, que dá a verdadeira dimensão do impacto, na vida nacional, do julgamento do mensalão pelo STF.

Vou deixar de lado os palpites que eu e Noblat demos para me ater aos comentários do diretor da faculdade, Joaquim Falcão, e de dois outros professores, Thiago Bottino e Diego Arguelhes, que têm visões otimistas sobre a atuação do Supremo e a repercussão desse julgamento na sociedade brasileira, e não só do ponto de vista jurídico. Falcão começou destacando um fato que parece óbvio, mas que tem enorme carga de influência na nossa democracia: as instituições funcionaram, e por isso deu-se o julgamento. A começar pela liberdade de imprensa, exercida plenamente na origem da denúncia do então deputado Roberto Jefferson, até a convocação da CPI dos Correios no Congresso, provocada pelas apurações dos meios de comunicação, tudo funcionou.

Ele ressaltou também o papel da Polícia Federal e do Ministério Público nas investigações. Falcão lembrou que o trabalho dos ministros do STF durante o julgamento acabou com a lenda de que teriam lealdade a quem os nomeou, ressaltando que o Supremo que condenou vários líderes petistas é o mesmo que tem oito de seus onze membros originalmente escolhidos pelos governos de Lula e Dilma. Para ele, o ministro Joaquim Barbosa simboliza um momento em que a lei é respeitada. "Eu estou disposto a aplicar a lei", esse parece ser o lema do relator do mensalão. Falcão chamou a atenção para o fato de que apenas o México transmite as sessões de seu Supremo ao vivo, como no Brasil, lá, porém, com efeito contrário.

No Brasil, sabem-se hoje mais nomes de ministros do STF do que de ministros de Dilma, destaca Falcão, para observar que é um avanço para a democracia a transmissão dos julgamentos e a transparência das decisões da corte. Para ele, a participação da opinião pública no processo é importantíssima, mas registra que "o que estamos vendo é o Supremo também influenciando a opinião pública".

Já segundo Diego Arguelhes ficou claro no julgamento, pela exposição que o mensalão teve, que houve espaço para a tolerância legítima com os argumentos alheios. Para ele, Barbosa não aceitou a denúncia do procurador-geral da República na íntegra, mas a maioria de suas ponderações convergiu com o MP. Pelos votos que deu, ficou evidente, de acordo com Arguelhes, que "ele construiu seu próprio percurso". Para o professor, as decisões de Barbosa "são técnicas, profissionais, sem frases de efeito".

Thiago Bottino, por sua vez, destaca que o processo foi transmitido como se fosse uma novela, com heróis e vilões. "Mas isso foi fundamental para que a população acompanhasse o caso. As pessoas não acreditariam nos resultados se não houvesse transmissão ao vivo", afirma, lembrando que um processo dessa delicadeza política poderia gerar muito mais controvérsias sobre as condenações se realizado em sigilo. "É uma inovação brasileira e uma conquista da democracia."

Para Joaquim Falcão, o revisor Ricardo Lewandowski foi aquele que assumiu uma posiçao, algo importante para a legitimação do julgamento: "Ele representou um importante papel e teve a oportunidade de exercer a sua liberdade."

Todos foram unânimes em destacar a importância da sabatina pelo Senado dos ministros escolhidos para o STF. Arguelhes sublinhou que a de Teori Zavascki, o mais novo juiz do Supremo, foi muito boa, e que houve quem fizesse perguntas incômodas. Lembraram que o Senado tem norma interna segundo a qual o indicado tem de preencher, com informações básicas, alguns requisitos, mas que não é possível garantir que tal regra seja respeitada e seguida. Os professores pesquisaram e nada encontraram. A conclusão é que o Senado precisa ter mais seriedade nas sabatinas. O próximo passo para demonstrar o amadurecimento da cidadania neste nosso processo democrático em evolução será eventual não aceitação, por parte dos senadores, de uma indicação de ministro para o STF. Como acontece nas melhores democracias.

[Terça-feira, 13/11/2012]

Fato consumado

Petistas em geral e blogueiros chapas-brancas em especial estão excitadíssimos desde que a *Folha de S. Paulo*, lídimo representante da mídia tradicional, publicou entrevista com o jurista alemão Claus Roxin, o teórico da tese do "domínio do fato", em que diz o óbvio: não é possível usar a teoria para fundamentar a condenação de um réu supondo sua participação apenas pelo fato de sua posição hierárquica.

A questão tinha endereço certo, a condenação do ex-ministro José Dirceu pelo STF por formação de quadrilha e corrupção ativa. Provavelmente, Roxin não tem a menor ideia do que seja o julgamento do mensalão, e é claro que sua observação não traz qualquer crítica à decisão do Supremo, mas os seguidores políticos de Dirceu tentaram espalhar a ideia de que o teórico do "domínio do fato" não condenaria o ex-chefe da Casa Civil.

O procurador-geral o classificou como o homem que detinha o "controle final do fato", o poder de parar a ação ou autorizar sua concretização. Com mais de três meses de julgamento, as provas testemunhais e indiciárias ganharam importância dentro desse processo, e o procurador-geral e a maioria dos juízes mostraram que há provas em profusão contra Dirceu. Há testemunhas de que era quem realmente mandava no PT então (vários depoimentos de políticos registram que qualquer acordo feito com Delúbio Soares ou José Genoino só era válido depois de comunicado ao ex-ministro por telefone), e de que foi o organizador da reunião em Lisboa, entre a Portugal Telecom, Valério e um representante do PTB. Também há indícios claros da relação que mantinha com os bancos Rural e BMG: encontros com a então presidente do Rural, Kátia Rabello, e até o emprego dado à sua ex-mulher no BMG e o empréstimo para compra de apartamento.

Outra resposta de Roxin representa, essa sim, discordância teórica com decisões tomadas pelo STF. Ele diz que "a posição hierárquica não fundamenta, sob nenhuma circunstância, o domínio do fato. O mero 'ter de saber' não basta. Essa construção ('dever de saber') é do direito anglo-saxão e não a considero correta". Nesse caso, trata-se de simples opinião, disputa de escolas.

O presidente do STF, Ayres Britto, teve ocasião de explicitar com bastante clareza o método utilizado durante o julgamento: "(...) Prova direta, válida e obtida em juízo. Prova indireta ou indiciária ou circunstancial, colhida em inquéritos policiais, parlamentares e em processos administrativos abertos e concluídos em outros poderes públicos, como Instituto Nacional de Criminalística e o Banco Central da República." (...) "Provas circunstanciais indiretas, porém, conectadas com as provas diretas. Seja como for, provas que foram paulatinamente conectadas, operando o órgão do Ministério Público pelo mais rigoroso método de indução, que não é outro senão o itinerário mental que vai do particular para o geral. Ou do infragmentado para o fragmentado."

Ontem, quando Dirceu foi condenado a dez anos e dez meses, Joaquim Barbosa deixou claro que coube ao ex-ministro selecionar os alvos da propina: "Simultaneamente, ele realizou reuniões com os parlamentares corrompidos e enviou-os a Delúbio e Valério. Viabilizou reuniões com instituições financeiras que proporcionaram as vultosas quantias. Essas mesmas instituições beneficiaram sua ex-esposa." O relator ressaltou que "o acusado era detentor de uma das mais importantes funções da República. Ele conspurcou a função e tomou decisões-chave para sucesso do empreendimento criminoso. A gravidade da prática delituosa foi elevadíssima". Segundo Barbosa, "o crime de corrupção ativa tem como consequência um efeito gravíssimo na democracia. Os motivos, porém, são graves. As provas revelam que o crime foi praticado porque o governo não tinha maioria na Câmara. Ele o fez pela compra de votos de presidentes de legendas de porte médio. São motivos que ferem os princípios republicanos".

A falsa polêmica não interferiu na decisão dos ministros, que reafirmaram ontem sua independência na discussão das punições para o núcleo político, condenando o ex-presidente do PT José Genoino a uma pena que, em princípio, será cumprida em regime semiaberto, ao contrário de Delúbio e, sobretudo, de Dirceu, que, considerado o "chefe da quadrilha", teve sentença maior. Os dois devem cumprir inicialmente as punições em regime fechado.

[Quarta-feira, 14/11/2012]

Ética republicana

A repercussão internacional do julgamento do mensalão, em especial a sessão de segunda-feira, que determinou penas de prisão em regime fechado para o ex-chefe da equipe de Lula José Dirceu e para Delúbio Soares, além de condenar ao regime semiaberto o ex-presidente do PT José Genoino, dá bem a dimensão política que esse processo possui e também revela a percepção que há no exterior de nossos hábitos e costumes, não sem razão.

A definição das sentenças do núcleo político petista é vista, e não só fora do país, como demonstração de que o tempo da impunidade de ricos e poderosos talvez esteja ficando para trás. Não são poucos, porém, aqui e no exterior, os que ainda duvidam de que banqueiros e políticos importantes passarão algum tempo na cadeia em regime fechado.

Esse é ainda um longo caminho a percorrer, até que se tornem corriqueiras decisões como as que ora são tomadas pelo STF. É claro que não creio que a corrupção desaparecerá de nossa vida política, mas o julgamento do mensalão pode ser o início de um processo que a transformará em jogo de alto risco, e a certeza da punição se encarregará de refrear o apetite com que, hoje, políticos de todos os partidos se jogam na corrupção, seguros de que nada lhes acontecerá.

Da mesma forma, os chamados "crimes do colarinho-branco" têm agora, nas decisões do STF, caminhos mais definidos para serem punidos, com, por exemplo, a jurisprudência que ficará sobre lavagem de dinheiro ou formação de quadrilha, sem falar na famosa teoria "do domínio do fato", que, com base em provas testemunhais e indiciárias, pode ser usada com mais frequência em delitos em que o mandante não costuma deixar rastros visíveis.

A feliz coincidência de que o ministro Joaquim Barbosa assumirá o comando do Supremo e do Conselho Nacional de Justiça pelos próximos dois anos é a garantia de que a cruzada contra a corrupção no país não sofrerá descontinuidade, e haverá tempo para que esse novo espírito se espalhe por todo o corpo do Judiciário. Como ressalta o deputado Chico Alencar, líder do PSOL, o final do julgamento do mensalão petista, que também condenou figuras de relevo de PTB, PR, PP e PMDB, é o "início de um processo não de 'judicialização da política', como alguns proclamam, mas de combate à corrupção na política".

Aproveitando-se da proximidade da data da proclamação da República, o também historiador Chico Alencar destaca que é importante ficar claro que esse marco inicial, longe de ser terminal ou mesmo emblemático por inteiro, "apenas aponta para novos tempos na busca, que completa 123 anos amanhã, da ética republicana. Essa precisa se enraizar na sociedade como um todo e produzir uma adesão militante e uma nova cultura, que se oponha ao 'rouba, mas faz' ou ao 'política é assim mesmo, todos são iguais'".

O líder do PSOL enumera fatos que, na sua opinião, mostram como ainda temos muito a caminhar: o recente e vergonhoso fiasco da CPI Cachoeira/Delta, a demora em julgar o mensalão tucano-mineiro (Ação Penal 536, que tem no STF também Barbosa como relator) e o mensalão do DEM/

DF (Ação Penal 707, no STJ). Mas o que o preocupa é não ver "reação mais significativa no nosso mundo político a fim de coibir as práticas que deram origem a essa tragédia para alguns líderes históricos do PT e de outros partidos — com menor repercussão porque 'o pecado do pregador é sempre pior que o do pecador'".

Ao contrário, ele lembra que, "para evitar transparência, aperfeiçoam-se os ardis para o financiamento interessado de campanhas e o tráfico de influência nos mandatos". A expressão mais evidente seriam as "doações ocultas" para os partidos, que, como O Globo revelou na edição do último dia 9, chegaram, em algumas capitais, nas eleições municipais recentes, a 80% do arrecadado por candidaturas vitoriosas.

"Ou seja, o ovo da serpente continua sendo chocado, inclusive por alguns que, cinicamente, se dizem chocados com a corrupção que o STF condenou", arremata Chico Alencar.

[Quinta-feira, 15/11/2012]

Fugindo da cadeia

É meio vergonhoso para o PT, há dez anos no poder, que a situação desumana de nosso sistema penitenciário vire tema de debate só agora, quando líderes petistas estão sendo condenados a penas que implicam necessariamente regime fechado.

Chega a ser patético que o ministro da Justiça, José Eduardo Cardozo, no final das contas responsável pelo monitoramento das condições em que as punições são cumpridas, diga em público que preferiria morrer caso fosse condenado a muitos anos de prisão. Dois anos no cargo, e o ministro só se mobiliza para pôr o estado das cadeias brasileiras em discussão no momento em que companheiros seus de partido são condenados a sentir na própria pele as situações degradantes a que presos comuns estão expostos, há muitos e muitos anos, os dez últimos sob o comando do PT. [Nota do Editor: o autor se refere à entrevista coletiva que o ministro da Justiça, José Eduardo Cardozo, concedeu a 13 de novembro de 2012 e na qual afirmou: "Se fosse para cumprir muitos anos na prisão, em alguns dos nossos presídios, eu preferiria morrer."]

Também o ministro revisor Ricardo Lewandowski apressou-se a anunciar que, muito provavelmente, o ex-presidente do PT Jose Genoino cumprirá sua pena em prisão domiciliar, porque não há vagas nos estabelecimentos penais apropriados para reclusões em regime semiaberto. Para culminar, vem Dias Toffoli defender que as condenações restritivas da liberdade sejam trocadas por punições alternativas e multas em dinheiro. Tudo parece compor um quadro conspiratório para tentar evitar que os condenados pelo mensalão acabem indo para a cadeia, última barreira a ser superada para que a impunidade que vigora para crimes cometidos por poderosos e ricos deixe de ser a regra.

Dias Toffoli, para justificar sua tentativa de tirar da prisão os petistas condenados, defendeu a tese de que eram meros assaltantes dos cofres públicos, sem objetivos políticos: "Os réus cometeram desvios com intuito financeiro, não atentaram contra a democracia, que é mais sólida que tudo isso! Era o vil metal. Que se pague com o vil metal."

Luiz Fux chegou a lembrar que apenas o Congresso pode mudar o Código Penal, que, no momento, estipula penas restritivas de liberdade para o tipo de delito ora julgado. Gilmar Mendes, que, quando presidente do Conselho Nacional de Justiça, comandou mutirão nacional para regularizar a situação de condenados em situação irregular nas cadeias depois de cumpridas as penas, lamentou que o ministro da Justiça tivesse falado só agora, "já que esse tema é conhecido desde sempre e é muito sério". Ele não esqueceu a culpa da própria Justiça, que "não consegue julgar no tempo adequado estas questões", mas ressaltou que "há uma grande responsabilidade de todos os governos se aí não há recursos para fazer presídios".

O decano do Supremo, Celso de Mello, foi objetivo sobre "a grande responsabilidade do Ministério da Justiça", lembrando que um dos órgãos mais expressivos na estrutura penitenciária é o Departamento Penitenciário Nacional, ao qual cabe acompanhar as normas de execução penal em todo o território brasileiro e fiscalizar periodicamente o sistema prisional.

"O que temos visto no sistema prisional brasileiro é um depósito de presos, pessoas abandonadas à própria sorte por irresponsabilidade do poder público. É importante que o ministro tenha feito essa observação de maneira muito cândida, mas é preciso que o poder público exerça a parte executiva, sob pena de se frustrar a finalidade para a qual a pena foi concebida", ressaltou Celso de Mello.

Para o decano da corte, a prática da lei de execução penal "tornou-se um exercício irresponsável de ficção jurídica, uma vez que o Estado mantém-se desinteressado desta fase delicadíssima de implantação das sanções penais proclamadas pelo Poder Judiciário". E lembrou que um artigo da lei de execução penal determina que a punição seja cumprida em um local salubre, com dormitório, aparelho sanitário e lavatório, e área mínima de seis metros quadrados. E o que se tem, em realidade, é um "inferno carcerário".

Querer evitar a prisão de políticos poderosos e banqueiros pretextando o péssimo estado de nosso sistema carcerário é debochar da opinião pública, menosprezar os que já vivem nessa condição degradante e não encarar um problema gravíssimo que exige política de governo em vez de uma esdrúxula campanha.

[Sexta-feira, 16/11/2012]

Visão autoritária

A nota oficial da Executiva Nacional do PT revela a face autoritária desse partido, nascido sob o lema de ser o paradigma de uma nova maneira de fazer política, limpa e comprometida com o bem comum, lema que nunca deixou de ser o que sempre foi: apenas um instrumento de marketing para a tomada do poder.

Desde os primeiros comandos municipais que alcançou, com a aura de levar os trabalhadores ao poder, o PT passou a atuar nos bastidores da baixa política, no submundo das licitações fraudulentas, conseguindo enganar muitos durante muito tempo, até que o escândalo do mensalão estourou em 2005, quando o partido já ocupava o poder central.

A direção nacional do PT ainda é dominada pelo grupo político liderado pelo réu condenado José Dirceu, e por essa razão ele é o único petista citado expressamente. A verdadeira face revelada pela nota oficial é mascarada pela defesa da democracia, mas, na verdade, o partido tenta desmoralizar as instituições que não conseguiu ainda aparelhar.

Sob um verniz de defesa da liberdade de expressão, a nota não passa de mero pretexto para mais uma tentativa de desqualificar o Supremo Tribunal Federal e a liberdade de imprensa, dois dos principais obstáculos à dominação total dos mecanismos democráticos do Estado pretendida pelo PT, na busca de uma democracia apenas formal, como as dos vizinhos "bolivarianos" aos quais o partido dedica seus melhores apoios.

Ao insistirem na lenda urbana de que Dirceu foi condenado sem provas pelo uso indevido da teoria do domínio funcional do fato, os petistas que controlam a executiva querem criar uma fantasia e iludir a sociedade, que acompanhou o julgamento por mais de três meses e está cansada de saber que existem "provas torrenciais" contra o ex-ministro todo-poderoso.

O próprio Claus Roxin, jurista alemão teórico da tese do domínio do fato, explicou que faz parte da tradição do direito anglo-saxão a ideia de que, em certas circunstâncias, o réu não "tem como não saber" o que acontece à sua volta, embora não concorde com a tese. O comentário do presidente do Supremo, Ayres Britto, citado na nota como exemplo da condenação sem provas de Dirceu, é apenas mais um elemento de convicção utilizado para a decisão, e foi trazido ao julgamento pelo ministro Luiz Fux.

Às duas teorias somaram-se as inúmeras provas testemunhais e indiciárias para permitir ampla maioria a respeito da culpabilidade do "chefe da quadrilha". Afinal, um resultado de 8 a 2 só pode ser entendido como uma condenação peremptória.

Quando fala em "fim do garantismo", o PT sugere que muitos dos juízes tidos como votos a favor dos réus mudaram as posições tradicionais para condená-los, mas o que realmente aconteceu é que as provas eram tantas e tão explícitas que ministros "garantistas", como Celso de Mello, Marco Aurélio Mello e Gilmar Mendes, não tiveram dúvidas em condená-los. Não mudaram posições. Apenas não havia direitos a serem garantidos, mas crimes a serem punidos.

Quando a nota diz que "pairam dúvidas se o novo paradigma se repetirá em outros julgamentos, ou, ainda, se os juízes de primeira instância e os tribunais seguirão a mesma trilha da Suprema Corte", fica-se sem saber se petistas torcem para que não se repita, já que o consideram ilegítimo, ou se exigem a postura em outros julgamentos, mesmo considerando a incoerência implícita nessa reivindicação.

A insistência em que "o STF fez um julgamento político, sob intensa pressão da mídia conservadora", reincide no ridículo, já que o colegiado foi nomeado em sua maioria — oito dos onze ministros no início do julgamento, e agora seis dos nove — por governos petistas. A nota reafirma "sua convicção de que não houve compra de votos no Congresso Nacional, nem tampouco o pagamento de mesada a parlamentares. Reafirmamos, também, que não houve, da parte de petistas denunciados, utilização de recursos públicos, nem apropriação privada e pessoal".

Diante das provas dos crimes cometidos, que o PT tenta transformar em "erros e ilegalidades" motivados pela legislação eleitoral, nem mesmo o ministro Dias Toffoli, o mais ligado ao partido, teve ânimo para tal defesa. Ele retirou do esquema o caráter político. Disse, porém, que os delitos foram cometidos "por motivos pecuniários". Para tentar livrá-los da cadeia, Toffoli transformou-os em reles ladrões dos cofres públicos, sem dar-lhes o direito de dizer que fizeram o que fizeram "pela causa".

[Sábado, 17/11/2012]

Duas medidas

A revelação de que o ministro Dias Toffoli, há dois anos, condenou o deputado Natan Donadon, do PMDB de Rondônia, a punições tão duras quanto as que são dadas, hoje, pelo Supremo, para os réus do mensalão joga por terra seu discurso, que agora se prova oportunista e demagógico, contra a pena de privação de liberdade para crimes que não sejam de sangue.

Diante de seu voto anterior, ficou claro que sua formulação alegadamente humanitária tinha só um objetivo: defender que os réus do mensalão não fossem condenados à cadeia.

Da mesma maneira, a fala do ministro da Justiça, José Eduardo Cardozo, dizendo que preferiria morrer a ter de passar muito tempo nas cadeias "medievais" brasileiras, trouxe à tona uma evidência sobre sua atuação. Há dois anos no ministério, nada fez a respeito do problema, que, se certamente não é culpa apenas dos governos petistas, tampouco foi devidamente enfrentado por estes. Jornais e revistas trouxeram fartas informações mostrando que as verbas alocadas para o sistema penitenciário quase não foram utilizadas no que cabia ao governo federal.

Note-se que Toffoli era o revisor daquele processo, fazendo o papel que, no mensalão, ficou com Ricardo Lewandowski. Ele reduziu a pena proposta pela relatora Cármen Lúcia, mas, na dosimetria, foi mais rigoroso do que Joaquim Barbosa agora: começou usando a pena-base de cinco anos e daí foi acrescentando todos os agravantes cabíveis, chegando a uma punição final de onze anos, um mês e dez dias. E o crime do deputado peemedebista ocorreu em uma Assembleia Legislativa, sem o caráter nacional dos delitos do mensalão e sem as implicações políticas de ataque à democracia, registradas pela maioria dos ministros do STF na Ação Penal 470.

Naquele caso, sim, os crimes foram cometidos por questões pecuniárias, mas não se ouviu uma palavra do então revisor do processo em defesa de penas alternativas. Essa parte do discurso de Toffoli, por sinal, provocou irritação em vastas camadas da opinião pública, pois a punição pecuniária para delitos de desvio de dinheiro público poderia, ao contrário de prevenir, estimular a corrupção.

O ministro tem razão ao dizer que a devolução dos recursos aos cofres públicos seria medida exemplar e pedagógica, mas esta não deve prescindir da punição do agente público autor do desvio. Aliás, em alguns países, em casos de corrupção, os funcionários públicos recebem penas maiores. A contradição entre seus atos e seu discurso só fez aumentar, na opinião pública, a percepção de que Dias Toffoli atuou no julgamento do mensalão para favorecer especialmente o ex-ministro José Dirceu, com quem trabalhou na Casa Civil.

O fato de ter sido nomeado para o cargo pelo ex-presidente Lula não seria motivo para que se considerasse impedido de atuar no processo. Sua histórica ligação com o PT, porém, seria, essa sim, razão suficiente, pelo menos por parâmetros de ministros que são mais rigorosos com sua biografia do que Toffoli demonstrou ser. Marco Aurélio Mello se declarou impedido de atuar no julgamento do ex-presidente Collor porque era seu primo, embora em grau tão distante que, tecnicamente, teria condições de participar sem problemas. Recentemente, em sessão do Tribunal Superior Eleitoral, Cármen Lúcia, que o preside, considerou-se impedida de votar em caso ocorrido em Espinosa, perto de Montes Claros (MG), pelo simples fato de seu pai residir na cidade.

O protagonismo assumido, no julgamento do mensalão, pelo revisor Ricardo Lewandowski, inclusive na defesa quase sempre minoritária de posições, a ponto de o relator tê-lo chamado de "advogado de defesa dos réus", fez com que a relação de Toffoli com o ex-ministro José Dirceu ficasse fora do primeiro plano, mas até mesmo setores do PT se irritaram por ter condenado José Genoino e absolvido Dirceu.

A defesa de pena pecuniária para os crimes cometidos no mensalão chamou a atenção novamente para sua presença polêmica no julgamento e no próprio STF, e a descoberta de que Toffoli já fez o que agora criticou só confirma a suspeita de que devia ter se poupado dessa atuação.

[Domingo, 18/11/2012]

Deuses e demônios

A condenação do ex-ministro José Dirceu a pena que implica regime de prisão fechada desencadeou uma onda de protestos por parte dos seus seguidores que revela os instintos mais perversos de um grupo político radicalizado, que se vê de repente atingido por uma mancha moral de que dificilmente se livrará na história.

Além do território da internet, em que tudo é permitido e onde muitos espaços são pagos para encampar propaganda política ignóbil, lê-se na imprensa tradicional, que os petistas tentam desqualificar, mas à qual recorrem para dar legitimidade às suas teses, ora que é preciso rever a pena dada a Dirceu por corrupção ativa e formação de quadrilha, porque, nesse último item, houve uma suposta divisão do plenário do STF, ora que os juízes do Supremo não têm estatura moral para condenar um herói nacional, que colocou a vida em risco na luta pela democracia. Ou que a condenação de Dirceu, Genoino e Delúbio não significa que os poderosos estejam sendo alcançados pela Justiça, pois não seriam tão poderosos assim.

Fora a patética tentativa de transformar os membros do núcleo político petista em meros mequetrefes, ou simples ladrões sem intenções de controlar politicamente o Congresso, é espantoso que tentem ainda agora, depois de mais de três meses em que foram revelados os detalhes do golpe armado de dentro do Palácio do Planalto, fazer de Dirceu um herói nacional, intocável por seu passado político de resistência à ditadura.

Um conhecido intelectual orgânico petista teve o desplante de escrever que, enquanto Dirceu lutava contra a ditadura, os ministros do STF viviam suas vidas burguesas à sombra do governo ditatorial, seguindo uma vidinha medíocre que acabou levando-os ao Supremo. Outro, citando um artigo do historiador Kenneth Maxwell, que compara o julgamento do mensalão ao dos inconfidentes pela alçada criada por dona Maria, assumiu a absurda comparação como fato.

Maxwell escreveu que "os membros da alçada estavam sujeitos a influências externas — em um caso, inclusive, pelo pagamento de um grande suborno em ouro. Ao final, Tiradentes foi sacrificado. E, se por acaso os processos da alçada começam a lhe parecer estranhamente semelhantes com o mensalão, isso não deveria causar surpresa: de fato, são. Algumas coisas nunca mudam".

No espírito de endeusamento que começa a se revelar entre os petistas, podem querer comparar Dirceu a Tiradentes quando, como bem destacou o historiador José Murilo de Carvalho em recente entrevista ao *Estado de S. Paulo*, "o que está em julgamento no mensalão não é Tiradentes, mas dona Maria I; não são os rebeldes, mas a tradição absolutista da impunidade dos poderosos". Historiadores e intelectuais enviaram mensagens a Maxwell rebatendo a esdrúxula tese.

A respeito da condenação de Dirceu por formação de quadrilha, de fato houve quatro votos contrários — dos indefectíveis ministros Dias Toffoli e Lewandowski, e mais as ministras Cármen Lúcia e Rosa Weber —, o que permitirá embargo infringente. Não houve, contudo, divisão do plenário, e sim uma maioria condenatória.

As tentativas de desmoralizar o Supremo Tribunal Federal, de maneira institucional, através de nota oficial do PT, ou por meio de pronunciamentos de elementos isolados ligados ao partido, são demonstrações de que um movimento político de tendência totalitária, denunciado em suas ações antidemocráticas, busca reverter o quadro negativo demonizando seus condenadores e endeusando os condenados.

Mais uma vez, colocam os interesses partidários acima dos da democracia, e a reação causada pela condenação do "chefe da quadrilha" José Dirceu reforça apenas que era ele mesmo quem detinha "o domínio do fato", e que parece ainda deter, capaz de mobilizar seguidores e tentar desqualificar o Poder Judiciário do país.

[Terça-feira, 20/11/2012]

Um juiz na história

Quando retomar amanhã o julgamento do mensalão, o Supremo já não terá a presidi-lo o juiz que foi o responsável direto por sua realização. Aposentado compulsoriamente aos setenta anos, Ayres Britto deixou suas marcas não só neste caso, certamente o mais complexo da história recente do STF, como também em outras definições históricas, entre as quais a derrubada da lei de imprensa dos tempos da ditadura, na sua opinião, essa sim, a decisão mais importante de que participou, por ter permitido a plenitude da liberdade de imprensa no país, inviabilizando qualquer tipo de censura.

"Quem quer que seja pode dizer o que quer que seja. Responde pelos excessos que cometer, mas não pode ser podado por antecipação." Seu último ato como presidente do Conselho Nacional de Justiça foi criar uma comissão para acompanhar processos que tratam da liberdade de imprensa. O Fórum Nacional do Poder Judiciário e Liberdade fará uma estatística das decisões e acompanhará acusações que tratem diretamente do tema. "As relações de imprensa são da mais elevada estatura constitucional pelo seu umbilical vínculo com a democracia", justificou. Pelo menos uma vez por ano, a comissão fará um encontro nacional para discutir o assunto. Para Ayres Britto, "cortar esse cordão umbilical entre a democracia e a liberdade de imprensa é matar as duas".

Britto também se posicionou favoravelmente ao aborto em casos de anencefalia e explicou seu voto com rasgos de poesia, como faz sempre que cabível: "Dar à luz a vida é dar vida e não dar a morte." Ficou famosa sua frase sobre o órgão sexual no julgamento sobre união civil de homossexuais: "O órgão sexual é um 'plus', um bônus, um regalo da natureza. Não é um ônus, um peso, um estorvo, menos ainda uma reprimenda dos deuses."

Na votação da Ficha Limpa, Ayres Britto definiu que existem três valores consagrados: a democracia, o meio ambiente equilibrado e a moralidade da vida pública. "Valores que todo povo que se preze consagra na sua experiência histórica." Defendeu a tese de que a Constituição mandou considerar a vida pregressa do candidato, "que não pode estar imersa em nebulosidade no plano ético", pois a palavra "candidatura" vem de "cândido", "limpo". Para ele, a Ficha Limpa ambiciona implantar "qualidade de vida política e acabar com uma cultura perniciosa".

Foi também o relator do processo de demarcação da reserva Raposa Serra do Sol, onde vivem 18 mil índios das etnias Macuxi, Wapichana, Patamona, Ingaricó e Taurepang. Para ele, "ninguém conhece as entranhas do país, as fronteiras do Brasil, melhor do que os índios. É preciso inculcar neles aquilo para o que já têm predisposição, o sentimento de brasilidade, tratá-los como brasileiros que são".

No processo do mensalão, que viabilizou também pela mediação dos conflitos na corte, Ayres Britto preocupou-se em unir a parte técnica com a defesa de valores democráticos: "Formação argentária, pecuniária, de maioria, com base na propina, no suborno e na corrupção é repudiada pela ordem jurídica brasileira", declarou. Para condenar por formação de quadrilha, baseou sua decisão no convencimento de que a paz pública fora afetada e na certeza de que é preciso condenar os culpados para que a sociedade não perca a crença em que o Estado dará a resposta adequada.

"A paz pública é essa sensação coletiva em que o povo nutre a segurança em seu Estado. Dessa confiança coletiva no controle estatal é que me parece vir a paz pública." Como presidente do STF, Ayres Britto teve ocasião de explicitar, com bastante clareza, o método utilizado durante o julgamento do mensalão, rebatendo as críticas sobre os critérios aplicados: "(...) Prova direta, válida e obtida em juízo. Prova indireta ou indiciária ou circunstancial, colhida em inquéritos policiais, parlamentares e em processos administrativos abertos e concluídos em outros poderes públicos, como Instituto Nacional de Criminalística e o Banco Central da República. (...) Provas circunstanciais indiretas, porém, conectadas com as provas diretas."

Se pegarmos seus votos no processo do mensalão e compararmos a outros, de igual importância para a consolidação da democracia, constataremos sempre a preocupação humanista a embasá-los.

[Quarta-feira, 21/11/2012]

Os crimes

A discussão sobre as penas atribuídas aos condenados no processo do mensalão está fora de foco no entender de muitos especialistas e, sobretudo, no do relator do processo, Joaquim Barbosa, que hoje preside interinamente os trabalhos e amanhã assume oficialmente a presidência do STF. Barbosa prefere discutir os crimes.

Se depender dele, as punições já atribuídas não serão alteradas até o fim do julgamento, e essa promete ser uma das disputas mais acirradas na corte, pois existe a intenção de Marco Aurélio Mello de defender que alguns crimes de Marcos Valério sejam tratados como de "continuidade delitiva", o que diminuiria sua pena, que hoje já passa de quarenta anos. Até o momento, o publicitário foi condenado por cinco delitos em "concurso material", cada um recebendo, assim, punição separada, penas que depois serão somadas. Na "continuidade delitiva", contudo, somente há um crime, que recebe punições adicionais.

A discussão é se os crimes de lavagem de dinheiro e evasão de divisas, por exemplo, não seriam um delito só, bem como corrupção ativa e peculato. Quando o assunto surgiu no plenário, houve desentendimento entre o relator e o revisor, e ficaram claros ali o que pensava Barbosa e qual a direção que tomava na formação das penas.

Ele se revoltara com a punição mínima dada a um réu, sofismando que não passaria nem seis meses na cadeia. Foi preciso que o revisor Lewandowski o lembrasse de que as penas são somadas para que explicitasse seu ponto, queixando-se de que "há anos generalizou-se um hábito de impor os castigos nos limites mínimos. Entretanto, pena-base não é sinônimo de pena mínima. Com a indiscriminada imposição das penas mínimas, vêm se tratando de modo igual situações distintas".

Quando lembrado de que a punição a Marcos Valério chegaria a quarenta anos, reagiu prontamente: "Se existe réu condenado a quarenta anos, é porque cometeu oito, nove crimes graves." Aí está a diferença fundamental entre o novo presidente do Supremo e alguns dos ministros. Barbosa não se espanta com as penas a que chegaram e prefere discutir primeiro os delitos praticados.

O processo do mensalão começou a ser investigado primeiro na CPI do Congresso e, mais adiante, pelo Ministério Público Federal. Foram cinco anos entre a aceitação da denúncia e o julgamento, e sete anos desde que o escândalo eclodiu. Não é à toa que o processo tem mais de 50 mil páginas, que reproduzem o depoimento de seiscentas testemunhas ouvidas em 42 cidades e até no exterior. Toda essa investigação culminou na certeza da maioria esmagadora do plenário de que, sim, houve desvio do dinheiro público, compra de votos de parlamentares e envolvimento de bancos.

Diante da abundância de provas e da gravidade dos fatos, Barbosa mostra-se espantado quando querem discutir o tamanho das penas. Com relação ao ex-ministro José Dirceu, por exemplo, considera que a profundidade dos delitos praticados provou-se ser muito maior do que aparentava, o que exigiria, na sua opinião, punições mais rigorosas do que as mínimas previstas pela lei. Para ele, "a aplicação da pena mínima só estaria autorizada se o crime, concretamente praticado, tivesse produzido uma lesão mínima ao ordenamento jurídico" — o que não é o caso.

Mas, mesmo pensando assim, o relator não acompanhou o pedido do procurador-geral da República para que Dirceu fosse condenado por "concurso material", o que poderia lhe dar pena próxima a vinte anos de cadeia. Barbosa considerou que os nove crimes de corrupção ativa representaram "continuidade delitiva", e a punição máxima, nesse caso, é de doze anos. Dirceu foi condenado a sete anos e onze meses, o que não implica regime fechado. O restante da pena deveu-se à formação de quadrilha. Como foi condenado, nesse item, por 6 a 4, sua defesa poderá recorrer através de embargos infringentes.

Dos seis ministros que o condenaram, Ayres Britto estará fora da análise do recurso, e mais dois novos juízes estarão no STF: Teori Zavascki e um outro, a ser nomeado, o que indica que a pena pode ser revertida em tese, embora o histórico do Supremo não seja favorável à aceitação dos embargos infringentes.

[Sexta-feira, 23/11/2012]

Sem confrontos diretos

O julgamento do mensalão pairou sobre a cerimônia de posse do ministro Joaquim Barbosa na presidência do Supremo Tribunal Federal como uma nuvem que a qualquer momento poderia produzir chuvas e trovoadas, mas não houve, por parte dele, qualquer palavra mais agressiva, e sequer mera referência, mesmo indireta, ao processo que relata.

Coube ao presidente da OAB e depois a Luis Fux tratarem do assunto, o ministro de maneira até mais incisiva do que Ophir Cavalcante, embora sem citar diretamente o caso. Os raros petistas na plateia, a cara de poucos amigos com que tanto a presidente Dilma quanto o presidente da Câmara Marco Maia entraram no plenário, tudo colaborava para um ambiente de suspense que acabou num anticlímax próprio das democracias maduras.

O cenário era favorável a manifestações contra a corrupção, e Ophir Cavalcante chamou de histórico o julgamento da Ação Penal 470, que "fixou em cada cidadã e cidadão a consciência de que ninguém está acima da lei" e representou significativos avanços, inclusive em termos de transparência do Poder Judiciário, propiciado pelas transmissões ao vivo da TV Justiça. Foi muito aplaudido quando afirmou que "quem infringe a lei deve responder por seus atos".

Já o ministro Luis Fux, escolhido por Barbosa para fazer a saudação oficial e a quem submeteu seu discurso, foi direto ao responder às críticas ao Supremo provocadas pelas condenações dos mensaleiros: "Nós, os juízes, não tememos nada nem ninguém, (...) pouco importa se a campanha é dirigida contra o tribunal como um todo ou contra um de seus membros."
Referiu-se especificamente às críticas de "instâncias políticas", sempre "abastecidas pelo roteiro de certos nichos acadêmicos", de que o Supremo Tribunal Federal estaria se arvorando em atribuições "próprias dos canais de legítima expressão da vontade popular, característica que seria reservada apenas aos poderes compostos por mandatários eleitos". Para Fux, o que os críticos chamam de "judicialização da política" é uma nova atuação do Judiciário, "amoldada às novas exigências sociais".

A história demonstrou, afirmou em seu discurso, tanto em experiências liberais quanto em regimes autoritários, que Legislativo e Executivo não foram capazes, sozinhos, de assegurar adequadamente o respeito aos direitos que compõem o substrato mínimo, o propósito e a condição da democracia. "Se a função da Constituição é reger e limitar, em diferentes carizes, o funcionamento do jogo político, é de bom alvitre conferir a um órgão não composto de agentes politicamente eleitos a função de velar pela observância das normas constitucionais."

O discurso de Fux foi uma defesa de um papel mais ativo do Poder Judiciário "na solução de questões socialmente controversas como reflexo de uma nova configuração da democracia, que já não mais se baseia apenas no primado da maioria e no jogo político desenfreado". Nesse sentido, "apresenta-se a corte como mais um instrumento catalizador de aspirações e interesses relevantes, sendo que seu peculiar modo de enfrentamento das questões polêmicas, técnico, imparcial e motivado, estimula aqueles que não concordam com determinada orientação a aceitá-la e cumpri-la — trata-se, portanto, de legitimidade democrática".

Mas ele teve a sabedoria de elogiar a atuação da presidente Dilma, a quem agradeceu por sua indicação para o Supremo. Também o procurador-geral da República Roberto Gurgel encontrou espaço, em sua fala, para criticar a emenda constitucional já aprovada na Comissão Especial da Câmara que retira do Ministério Público o poder de investigação, dizendo que ajuda a impunidade. Destacou que apenas três países do mundo adotam tal restrição. E não disse, mas deixou subentendido que, se essa alteração já vigorasse, o processo do mensalão provavelmente não teria sido exitoso.

O discurso de Joaquim Barbosa tratou de questões mais objetivas: a incapacidade da Justiça de atender a todos com igualdade, a morosidade dos processos e o sentimento de que nem todos são iguais perante a lei. Para ele, a cidadania só se manifesta quando se une a igualdade à Justiça. A referência mais direta que fez às injunções políticas foi quando declarou que é preciso acabar com a necessidade de apoio político para que juízes progridam na carreira.

Defendeu que os juízes saiam das torres de marfim e tratem das questões cotidianas que afetam a população. Pode-se dizer que o novo presidente do Supremo, por sua fama de agressivo, transferiu ao ministro escolhido para saudá-lo a tarefa de responder aos ataques e defender a atuação mais ativa que pretende imprimir à sua gestão.

[Sábado, 24/11/2012]

Estilos

Depois de uma presidência que deixou sua marca na história da instituição pelo encaminhamento de questões importantes e não pelo caráter personalista de sua gestão, como a de Ayres Britto, teremos seguramente uma presidência mais ativista no biênio do ministro Joaquim Barbosa, que tem um estilo próprio de atuar e que encaminhará os trabalhos do Supremo Tribunal Federal e também do Conselho Nacional de Justiça de acordo com seus pontos de vista, não se deixando levar pelas circunstâncias do momento.

O sentido presidencialista das duas instituições pode ser avaliado pelas gestões de Gilmar Mendes e Nelson Jobim, ambos de forte personalidade, que lhes deram suas marcas próprias e assumiram as funções como presidentes de um dos poderes da República, e não apenas como dirigentes da mais alta instância do Judiciário. [Nota do Editor: Nelson Jobim e Gilmar Mendes foram presidentes do STF respectivamente entre 19 de maio de 2004 e 29 de março de 2006 e entre 23 de abril de 2008 e 23 de abril de 2010.]

Se por um lado o mandato com tempo determinado é um hábito mais saudável do que o da Suprema Corte dos Estados Unidos, cujo presidente é escolhido pelo presidente da República, e para um mandato permanente, sem limite de idade para a aposentadoria, por outro a rotatividade na presidência, como ocorre no Brasil, pode ser prejudicial à continuidade de políticas que deveriam ser de Estado mas que acabam sendo prioridades individuais de cada novo presidente.

Há juristas, como Joaquim Falcão, diretor da Faculdade de Direito da FGV do Rio, que consideram que a excessiva rotatividade da presidência do STF "gera descontinuidade, quase insegurança jurídica e administrativa".

Aqui, o presidente tem o poder de pauta, que é muito grande. Gilmar Mendes, por exemplo, era a favor de que os julgamentos dos juízes fossem públicos. Já o ministro Cezar Peluso, quando presidente, queria que corressem todos sob segredo de Justiça. [N. do Editor: Peluso presidiu o Supremo entre 23 de abril de 2010 e 19 de abril de 2012.] Mendes deu destaque, no CNJ, a um mutirão para retirar das cadeias os condenados que já cumpriram pena, um dos grandes problemas de nosso sistema prisional. Já Jobim priorizou o combate ao nepotismo e o teto salarial, que não foram questões centrais para os sucessores.

Ao que tudo indica, o foco do ministro Joaquim Barbosa à frente do CNJ será o combate à morosidade da Justiça, que ressaltou em seu discurso de posse. A Justiça que não é igual para todos e que tarda não estimula a cidadania e torna-se injusta — este parece ser o lema do novo presidente do Supremo. Uma Justiça vagarosa e dominada pela burocracia está sujeita a todo tipo de achaque e exploração de vantagens indevidas daqueles que criam dificuldades para vender facilidades. E como sempre, nessas circunstâncias, os mais afetados são os desfavorecidos.

Outro ponto importante a acompanhar na gestão que se inicia é a relação do Judiciário com os outros dois poderes da República, o Executivo e o Legislativo. O ministro Luiz Fux, que vocalizou as críticas mais duras, e que poderiam ter sido feitas pelo próprio Barbosa, que falara antes, destacou o papel do Judiciário como relevante para a solução de problemas que os outros poderes não superam por dificuldades próprias de suas estruturas.

Ele transformou a crítica de que os membros do Judiciário não têm votos em uma vantagem comparativa com os demais poderes. Disse que esse fato permite que o Judiciário assuma decisões delicadas do ponto de vista técnico, sem se sujeitar aos constrangimentos políticos próprios dos que necessitam de votos para se eleger.

É verdade que a chamada "judicialização da política" de fato não ocorre, pois todas as vezes em que o Supremo entrou em questões políticas foi por demanda de algum outro poder, e não por conta própria. De qualquer maneira, é possível prever-se choques entre os poderes em uma gestão mais afirmativa como deve ser a do ministro Joaquim Barbosa à frente do STF, a começar pela decisão de cassar ou não os mandatos dos parlamentares condenados no mensalão. Nada, porém, que perturbe a normalidade institucional.

[Quinta-feira, 29/11/2012]

Manobra abortada

Atuando como relator e presidente do Supremo Tribunal Federal, o ministro Joaquim Barbosa teve de se desdobrar na última sessão do julgamento do mensalão para não deixar que todo o esforço despendido tivesse um anticlímax com a redução da pena do petista João Paulo Cunha por uma manobra regimental comandada por Ricardo Lewandowski e Marco Aurélio Mello, que tentaram impedir que os cinco juízes que condenaram o ex-presidente da Câmara pudessem fazer a dosimetria de sua punição com relação à lavagem de dinheiro, sob a alegação de que o número mínimo para deliberação é de seis ministros.

A questão de ordem, colocada inicialmente pelo advogado de Cunha, já fora rejeitada pelo plenário do STF no início do julgamento, e o presidente Joaquim Barbosa decidiu não aceitá-la monocraticamente, como lhe permite o regimento. Mas o revisor Lewandowski protestou, alegando que a tradição da corte era deixar que o colegiado decidisse.

Criado o impasse, Lewandowski e Marco Aurélio Mello assumiram a paternidade da questão de ordem, o que, pelo regimento, obriga o presidente a transferir a definição ao plenário. A situação ficou mais delicada quando Marco Aurélio explicitou qual era seu entendimento da questão.

Ele simplesmente considerava que havia um empate na questão da lavagem do dinheiro, pois o sexto ministro que condenara João Paulo Cunha era o ex-presidente Ayres Britto, que se aposentara e que não deixara registrada a sua dosimetria. No entender de Marco Aurélio, o voto de Ayres Britto era nulo, pois não fora completado, "uma condenação sem pena".

Com isso, avaliava que apenas cinco ministros condenaram Cunha naquele quesito, enquanto outros cinco o absolveram. Com esse empate imaginado por ele, o réu seria beneficiado com a absolvição. Se vingasse esse malabarismo jurídico de Marco Aurélio Mello, o líder petista João Paulo Cunha se livraria da cadeia, ficando condenado a regime semiaberto.

Mesmo os que insistiram para que o colegiado fosse ouvido, como Celso de Mello, tinham um entendimento diverso, no sentido de que o juízo condenatório já fora proferido por seis ministros e que, portanto, não havia prejuízo possível ao réu, pois o relator determinara a punição mínima de três anos.

O impasse imaginado por Marco Aurélio de Mello e Ricardo Lewandowski não se concretizou, porque até mesmo ministros que absolveram João Paulo Cunha, como Rosa Weber e Dias Toffoli, votaram a favor de que os cinco que o condenaram tivessem todo o direito de definir a dosimetria da pena para lavagem de dinheiro, uma vez que o juízo de condenação já fora firmado com o sexto voto, de Ayres Britto.

Toffoli foi muito feliz ao lembrar que, se um ministro tivesse morrido depois de condenar um réu, e antes de fixar a punição, seu voto não poderia ser anulado como se nunca proferido. Para surpresa geral, Marco Aurélio ficou sozinho em sua posição, pois até mesmo Lewandowski, o primeiro a defender que a questão de ordem fosse discutida no plenário, manifestou-se a favor da legitimidade da fixação da pena pelos ministros que condenaram João Paulo Cunha, o que dá a entender que, mais uma vez, queria ganhar tempo, impedindo que o Supremo terminasse ontem a definição das penas de todos os réus.

Superadas as manobras protelatórias, o STF tem pendências delicadas para a próxima semana. O presidente Joaquim Barbosa propôs a revisão da pena do deputado federal Valdemar da Costa Neto, que, beneficiado por um empate, acabou escapando da prisão em regime fechado.

Barbosa considera que houve um erro na análise do caso de Costa Neto, que deveria ter sido condenado pela legislação mais pesada de corrupção passiva, pois seus atos foram consumados até depois da sua promulgação. Há uma tendência no STF por fazer essa revisão, para que Valdemar da Costa Neto tenha uma punição equivalente à liderança que teve no processo do mensalão.

Outro caso delicado para resolver é o da perda de mandato dos condenados. Para tanto, o Supremo deve cassar os direitos políticos dos deputados, o que levará à cassação automática, bastando apenas que a Mesa da Câmara comunique a decisão do STF.

[Quarta-feira, 5/12/2012]

A cidadania reage

Temos visto, uns após outros, casos de corrupção que mostram não apenas que o patrimonialismo continua sendo o cupim de nossa democracia como também que vivemos uma época de desestruturação de valores da cidadania. Essa politização exacerbada na escolha dos componentes da máquina do Estado, que leva o aparelhamento político a níveis os mais profundos, pode chegar até o Supremo Tribunal Federal, como revela a recente entrevista do ministro Luiz Fux à *Folha de S. Paulo*. [Nota do Editor: o autor se refere à entrevista que Fux concedeu a Mônica Bergamo, publicada na edição da *Folha de S. Paulo* de 2 de dezembro de 2012, na qual confirma que se encontrou com membros importantes do PT antes de ser indicado ao STF].

Se não aconteceu da maneira como os petistas supunham, não foi devido ao entendimento de que a independência dos juízes é fundamental, mas ao que consideram simplesmente uma traição do escolhido com o suposto compromisso de ajudar o governo nessas votações. O ministro Fux alega que, ao chegar ao STF, tinha uma visão do processo do mensalão que desmoronou diante da leitura atenta dos autos, nos quais teria constatado que existiam, sim, provas contundentes contra os réus.

O presidente atual do Supremo Tribunal Federal, o temido ministro Joaquim Barbosa, disse na sua posse que os juízes deveriam ficar longe da política, mas ele mesmo admitira que procurou um contato com o então ministro-chefe do Gabinete Civil, José Dirceu, antes de ser escolhido para o Supremo. A sorte dele é que, àquela altura, estávamos em 2003 e não havia ainda o mensalão.

A ministra Eliana Calmon, quando também temida corregedora do CNJ, admitiu que, para chegar ao STJ, teve o apoio do político baiano mais influente até hoje, Antonio Carlos Magalhães, embora ressalve que nunca ofereceu, nem lhe foi pedido, qualquer posição como juíza.

Seja lá como for, a posição que o Supremo tomou no julgamento do mensalão mostra uma independência elogiável desses ministros, cuja maioria foi nomeada por governos petistas. O fato é que temos hoje uma série de instituições nacionais funcionando como órgãos de Estado, e não servindo ao governo da ocasião, o que é um exemplo de maturidade de nossa jovem democracia e faz contraponto a essa desestruturação da cidadania que serve a um projeto político autoritário.

O Ministério Público continua atuando com independência, e foi assim que atuou no processo do mensalão, embora o procurador-geral da República Roberto Gurgel tenha sido indicado para o cargo pelo presidente Lula. Essa independência toda levou a que petistas tentassem desmoralizá-lo, em represália, na CPI do Cachoeira, e que também agissem contra a própria instituição, colocando para andar na Câmara um projeto que impede o Ministério Público de realizar investigações. Sintomaticamente, já conhecido como "a lei da impunidade".

Agora mesmo temos o exemplo da Polícia Federal, que age de maneira autônoma e investiga nada mais nada menos do que a chefe de gabinete da Presidência da República em São

Paulo, tida por todos como "a namorada do Lula". Os petistas mais paranoicos viram na ação uma tentativa de desestabilizar o ex-presidente, e citam como prova o fato de o ministro da Justiça não ter sido informado da operação. O ministro da Justiça José Eduardo Cardozo diz que não deveria mesmo sê-lo, e defende o trabalho autônomo da Polícia Federal.

Não passa de uma balela, portanto, que a independência desses órgãos aconteça graças aos governos petistas, como o ministro Gilberto Carvalho, da Secretaria Particular da Presidência, andou declarando, corroborado por Cardozo. Na verdade, deve-se essa atuação a um processo que se desenrola há muitos anos, desde a aprovação da chamada "Constituição Cidadã" em 1988, e que torna os órgãos do Estado cada vez menos suscetíveis ao controle dos governos. Sempre que algum desvio é tentado, e a opinião pública toma conhecimento disso, há uma reação muito grande.

O que importa, hoje, no Brasil, é que há instituições que podem trabalhar com independência, e a opinião pública atua fortemente para frear abusos de governos autoritários.

[Quinta-feira, 6/12/2012]

Retrocesso evitado

As questões conceituais mais polêmicas suscitadas pelo julgamento do mensalão foram passadas a limpo ontem, na 50ª sessão, que deveria ser a penúltima da série. Não é possível, no entanto, apostar que, na sessão de hoje, os ministros consigam encerrar temas também decisivos, como a perda de mandato dos deputados condenados, e por isso o presidente Joaquim Barbosa já convocou preventivamente uma sessão extra para segunda-feira.

Ontem, tratou-se de dois assuntos que vêm dominando os debates políticos e acadêmicos: a duração das penas e uma suposta heterodoxia na interpretação das leis. Ambas as questões surgiram devido à proposta, esta, sim, heterodoxa, defendida pelo ministro Marco Aurélio Mello de considerar os diversos crimes praticados pelos réus condenados como de "continuidade delitiva", o que reduziria as punições drasticamente.

Marco Aurélio chegou a citar "o sociólogo e ex-presidente Fernando Henrique Cardoso" ao ressaltar que a condenação é "mais importante que a pena aplicada". Para o ministro, "estamos diante de acusados autores de delitos episódicos. Não são elementos perigosos, que justifiquem o afastamento da vida social". O publicitário Marcos Valério passaria de uma pena de mais de quarenta anos a outra de pouco mais de dez.

Os advogados de defesa queriam tratar como um só crime, por exemplo, lavagem de dinheiro e corrupção ativa, que os juristas classificam de tipos penais distintos.

Coube a Gilmar Mendes colocar o dedo na ferida: "Chego a imaginar as ações do PCC [principal facção criminosa paulista] contempladas no âmbito do artigo 71 [que trata da continuidade delitiva]. Vejo que teríamos um desastre." O presidente do Supremo, Joaquim Barbosa, disse que, a prevalecer esta "concepção generosa de continuidade delitiva", teremos "as situações mais absurdas". E ponderou que, no Brasil, há "grupos de quadrilhas das mais diversas naturezas, algumas extremamente brutais". A prosperar a proposta defendida por Marco Aurélio e também pelo revisor Ricardo Lewandowski, o relator salientou que "nossos magistrados serão obrigados a aplicar apenas o crime de tráfico e ignorar os demais delitos de um membro desta quadrilha", como tráfico de drogas, porte de armas, corrupção, formação de quadrilha.

O ministro Luiz Fux veio em auxílio à tese de que as punições não estão fora da razoabilidade. Lembrou que nenhum dos condenados recebeu pena além da média prevista pela lei, e também que o procurador-geral da República queria que os réus fossem condenados por "crime material", e o Supremo decidiu usar "crime continuado".

Além disso, as lavagens de dinheiro foram contadas como apenas uma, ainda que alguns réus a tivessem praticado por até quarenta vezes. Gilmar Mendes, usando de ironia, disse que, se a tese progredisse, o STF acabaria com o crime de lavagem de dinheiro. E Joaquim Barbosa foi mais drástico: "Esses dois votos na prática reabrem todo o julgamento depois de quatro meses." Na verdade, caso a esdrúxula proposta dos advogados de defesa vingasse, haveria uma reversão de expectativas na opinião pública, que veria como um retrocesso a redução das penas.

Como o ministro Lewandowski continuasse insinuando que houve decisões "heterodoxas" no julgamento do mensalão, vários ministros voltaram ao assunto. Gilmar Mendes foi dos mais enfáticos: "(...) gostaria de deixar claro que aqui também não houve nenhuma revisão, mas o que há de heterodoxo neste caso? De fato é a prática delituosa. O que se praticou aqui é um caso realmente raro na crônica da criminalidade porque é a corrupção com recibo, de tão seguros que estavam de que não haveria punição."

O ministro Celso de Mello voltou a abordar o paralelo entre este julgamento e a ação 307, quando o ex-presidente Fernando Collor foi absolvido pelo STF por falta de provas. "No presente caso, o Ministério Público agiu com absoluta correção e indicou o ato de ofício em razão dos quais as indevidas vantagens foram oferecidas e também entregues. Portanto, não houve qualquer mudança de paradigma." Gilmar Mendes reafirmou que "o tribunal não rompeu com sua jurisprudência, com a exigência do ato de ofício".

[Sexta-feira, 7/12/2012]

A última palavra

O que está em debate nas derradeiras reuniões do julgamento do mensalão não é a prevalência da decisão do Supremo Tribunal Federal sobre o Legislativo, mas se os parlamentares condenados merecem ou não perder seus direitos políticos, além das penas já aplicadas. Não há como colocar em dúvida que a última palavra sobre questões constitucionais é do STF, até mesmo "o direito de errar por último", como disse Rui Barbosa.

Há diversos exemplos de políticos condenados que continuam até hoje de posse de seus mandatos, pois o artigo 55 da Constituição determina que, entre outras possibilidades, perderá o mandato o deputado ou senador "que sofrer condenação criminal em sentença transitada em julgado".

No caso do deputado federal Asdrúbal Bentes, do PMDB do Pará, acusado de trocar laqueaduras por votos em Marabá, o acórdão demorou quase dez meses para sair no *Diário da Justiça*, e falta ainda o STF analisar o embargo infringente da defesa. Outro deputado, Natan Donadon, do PMDB de Roraima, condenado por peculato e formação de quadrilha, há quase dois anos aguarda a decisão do STF sobre um embargo de declaração, embora esteja condenado a treze anos de prisão, o que implica regime fechado.

Como os recursos ainda não foram esgotados, a condenação não transitou em julgado e, portanto, os parlamentares não perderam seus mandatos. Quando se acabarem os apelos legais, a perda de mandato será decidida pela Câmara dos Deputados, "por voto secreto e maioria absoluta, mediante provocação da respectiva mesa ou de partido político representado no Congresso Nacional, assegurada ampla defesa".

Nenhum deles, no entanto, foi punido com a perda ou suspensão dos direitos políticos. Nesse caso, diz o mesmo artigo 55, "a perda será declarada pela mesa da Casa respectiva, de ofício ou mediante provocação de qualquer de seus membros, ou de partido político representado no Congresso Nacional, assegurada ampla defesa". Quer dizer, ao ter cassados os direitos políticos, o parlamentar perde automaticamente seu mandato, sem que seja necessário um pronunciamento do plenário.

Joaquim Barbosa deixou claro o sentido de seu voto a certa altura do debate que travou com o revisor Ricardo Lewandowski, que, mesmo quando concorda no mérito com o relator, discorda do procedimento. Barbosa, com uma ponta de ironia, disse que, "como não poderia deixar de fazer", aplica a lei penal "tal como existe para qualquer cidadão". Ele diz que se limita a deixar consignado, no seu voto, que a consequência da suspensão dos direitos políticos é a perda do mandato. "Vamos comunicar isso à Câmara, e ela faz o que bem entender. Esta é a minha proposta. Vamos deixar consignada a perda e, se a Câmara decidir que vai proteger este ou aquele parlamentar, que arque com a consequência."

Lewandowski também considera que os parlamentares devem ter os direitos políticos suspensos, mas registra que a perda de mandato deve ser uma decisão da própria Câmara, o que contraria o texto constitucional. A crise institucional entre o Poder Legislativo e o Supremo só aconteceria se o voto fosse pela cassação do mandato dos deputados, alcance que o STF não possui.

Também a Câmara dos Deputados não tem a prerrogativa de interpretar a Constituição a seu bel-prazer, principalmente depois de o Supremo dar sua palavra. O ministro Marco Aurélio Mello chegou a declarar que "é impensável" o Legislativo não cumprir uma determinação do órgão máximo do Poder Judiciário.

Caso o PT insista na tese, legal, mas aética, de que o ex-presidente do partido José Genoino deve assumir um mandato no lugar do deputado Carlinhos Almeida, eleito prefeito de São José dos Campos, teremos uma questão delicada pela frente. Genoino, que foi condenado por corrupção ativa e formação de quadrilha, tem direito a uma cadeira na Câmara dos Deputados por ser o primeiro suplente do PT paulista.

Pela Constituição, pode assumir, pois a sentença ainda não transitou em julgado, o que só ocorrerá depois da publicação do acórdão com a decisão final e a análise dos diversos embargos que sua defesa deve impetrar junto ao STF. Nem ele nem José Dirceu integram essa discussão sobre perda de direitos políticos, mas apenas os parlamentares com mandato.

Condenados por um colegiado, ficarão inelegíveis. Porém, se o ex-presidente do PT José Genoino, mesmo condenado, decidir assumir seu mandato de deputado federal até que a sentença transite em julgado, criará uma situação embaraçosa mais para a Câmara do que para o Supremo.

[Terça-feira, 11/12/2012]

Direitos e deveres

O que se viu ontem no STF, no que pode ter sido a penúltima sessão do julgamento do mensalão, foi uma tentativa de não ferir suscetibilidades no Poder Legislativo com relação à perda dos mandatos dos parlamentares já condenados no processo. Houve a preocupação de preservar a independência dos poderes da República, mas também a de deixar claro que, em matéria constitucional, a última palavra é do Supremo.

Há consenso no sentido de que a condenação em processo criminal não é causa automática de perda de mandato, e que, para tanto, é preciso adicionar às penas já aplicadas a perda dos direitos políticos. Aparentemente, há unanimidade para condenar à perda dos direitos políticos os parlamentares do mensalão, mas o passo seguinte é que provoca discussões. Com o quarto voto a favor da cassação do mandato, dado pelo ministro Marco Aurélio Mello, a tese deve sair vitoriosa, pois Celso de Mello, que deverá concluir a votação amanhã, já deu opiniões, no correr do julgamento, que levam a crer que acompanhará o relator Joaquim Barbosa. [Nota do Editor: em decorrência de problemas respiratórios, o ministro Celso de Mello pediria, logo em seguida, alguns dias de licença médica, o que cancelaria duas sessões do STF dedicadas à apreciação final do processo em questão. O ministro só voltaria ao tribunal uma semana depois, em 17 de dezembro, para proclamar o voto analisado no artigo a seguir].

Os casos de parlamentares condenados que ainda exercem seus mandatos demonstram que o Supremo entende que a simples condenação não é suficiente para a perda de mandatos. Como ainda cabem recursos, a condenação não transitou em julgado. Quando esgotadas as possibilidades de apelação, a perda de mandato será decidida pela Câmara dos Deputados.

Já no caso dos parlamentares punidos com perda ou suspensão dos direitos políticos, de acordo com o mesmo artigo 55, a cassação do mandato dependerá de deliberação da respectiva Casa, de representação ou provocação de qualquer um de seus membros, ou da manifestação de partido representado no Congresso Nacional. Em suma, ao perder os direitos políticos, o parlamentar perde automaticamente seu mandato, sem que seja necessário um pronunciamento do plenário.

O argumento principal de Rosa Weber consistiu em que a perda de mandato político depende de expressa manifestação daqueles que o conferiram, ou seja, do próprio povo, por meio dos seus representantes. Segundo a ministra, o que está sendo protegido é o direito dos próprios eleitores; não é um direito subjetivo do representante eleito. Em oposição, Celso de Mello resumiu bem a questão: "Ninguém pode titularizar um mandato eletivo e sequer nele investir-se sem estar no pleno direito político. Não tem sentido, em situações como esta, que o tribunal desconsidere esta absoluta incompatibilidade entre a posição prisional de um congressista e o exercício do mandato parlamentar." Gilmar Mendes acrescentou, na mesma linha: "Agora, temos a possibilidade de um deputado preso com trânsito em julgado, mas com mandato. Vejam que tamanha incongruência."

O relator Joaquim Barbosa, diante da posição contrária, deu seu ponto de vista, como sempre muito direto: "Causa-me espécie e desconforto que uma pessoa condenada possa exercer um mandato parlamentar. (...) Este caso é o mais grave que pode ocorrer. (...) há situações em que um juiz criminal não decreta a perda de mandato. Agora nós dizermos ao Congresso que uma pessoa condenada por peculato e corrupção ativa pode exercer o mandato parlamentar? Isso se choca com o nosso papel de guardiões da Constituição."

Cármen Lúcia foi quem melhor definiu a situação: "O que estamos todos a discutir é simplesmente como interpretar a Constituição, e que a condenação prevaleça com todos os seus efeitos". Para a ministra, o Supremo cumpre sua obrigação condenando os parlamentares à perda dos direitos políticos, "e esperamos que o Congresso cumpra as suas".

Marco Aurélio Mello foi mais longe. Pediu a condenação "completa", formalizando a perda de mandato não só daqueles que os têm nos dias de hoje "como também dos demais, que possam vir a buscar um mandato como escudo ou possam se candidatar ou serem designados para funções de confiança no cenário público". O ministro Luiz Fux lembrou que, no estado democrático de direito em que vivemos, as leis sofrem "certa mutação funcional", inclusive por parte da iniciativa popular, citando a Lei da Ficha Limpa "que mudou um paradigma sobre a inelegibilidade a partir de uma condenação não transitada em julgado".

[Terça-feira, 18/12/2012]

Fecho de ouro

O ministro Celso de Mello deu mais uma vez o tom histórico do julgamento do mensalão ao definir a grandeza da decisão, que sacramentou com seu voto, pela cassação dos mandatos dos parlamentares condenados no processo, como consequência da perda de direitos políticos. Essa perda dos mandatos parlamentares está diretamente ligada à gravidade dos crimes cometidos contra o Estado, e mais uma vez ficou ressaltado o sentido de todo o julgamento: a defesa das instituições democráticas.

Celso de Mello chamou a atenção para o fato de que as decisões do colegiado são sempre do Supremo. Não há vencidos nem vencedores. A votação de 5 a 4 pela interpretação da cassação automática passa a ser a da corte, que tem a última palavra em termos constitucionais e, como lembrou Rui Barbosa, pode até mesmo "errar por último".

Por isso mesmo, alertou em seu voto, seria "inadmissível o comportamento de quem, demonstrando não possuir necessário senso de institucionalidade, proclama que não cumprirá uma decisão transitada em julgado emanada do órgão judiciário que, incumbido pela Assembleia Constituinte de atuar como guardião da ordem constitucional, tem o monopólio da última palavra em matéria de interpretação da Constituição". O ministro tocou no ponto certo quando advertiu que "reações corporativas ou suscetibilidades partidárias associadas a um equivocado espírito de solidariedade não podem justificar afirmação politicamente irresponsável e juridicamente inaceitável".

Diante da condenação de seus principais representantes no julgamento do mensalão, o PT decidiu politizar a última decisão, em torno dos mandatos legislativos dos condenados, para retaliar o Supremo Tribunal Federal, criando uma crise entre os poderes onde não existia disputa política, mas uma questão de interpretação do texto constitucional.

A posição do presidente da Câmara, deputado petista Marco Maia, de considerar que cabe ao Legislativo a última palavra em caso de cassação de mandatos, tem respaldo em interpretações jurídicas, tanto que, embora os nove ministros tenham votado pela perda dos direitos políticos dos condenados, quatro deles consideraram que caberia à Câmara a decisão final quanto à perda de mandato.

Diante da decisão da maioria da corte, porém, não há, dentro de uma democracia, justificativa para anunciar que não será acatada. Como bem lembrou Celso de Mello, que encerrou o julgamento com fecho de ouro, "a insubordinação legislativa ou executiva ao comando de uma decisão judicial, não importa se do STF ou de um magistrado de primeiro grau, revela-se comportamento intolerável, inaceitável e incompreensível. Qualquer autoridade pública que descumpra uma decisão do Judiciário transgride a própria ordem constitucional, e assim procedendo expõe-se, em consequência de seu comportamento, aos efeitos de uma dupla e inafastada responsabilidade, a responsabilidade penal por infração possivelmente ao artigo 319 do Código Penal, que define o crime de prevaricação".

Tivemos, durante os quatro meses e quinze dias em que durou o julgamento do mensalão, aulas frequentes de democracia, e nada mais adequado que terminasse com mais esse debate sobre direitos e deveres dos poderes constituídos, deixando bem claro o papel de peso e contrapeso que cada um tem para o equilíbrio das instituições.

Pós-escrito ao julgamento do mensalão

A escolha dos heróis

Este livro pode ser lido como uma continuação de *O lulismo no poder*, lançado em 2009 também pela Editora Record, sobre os oito anos de governo Lula. O julgamento da ação penal 470, popularmente identificada como "do mensalão", foi uma espécie de fecho nada dourado da era Lula, trazendo de volta à memória dos brasileiros os dias tumultuados de 2005, que quase interromperam a trajetória vitoriosa do então governante, que chegara à Presidência da República em 2003 depois de ter perdido nada menos que três eleições seguidas, duas das quais no primeiro turno, para o hoje arquirrival Fernando Henrique Cardoso.

O papel de Lula no mensalão continua, porém, não esclarecido, e volta e meia surgem fatos novos que o implicam como o verdadeiro articulador da trama, como na última versão do publicitário Marcos Valério dada à Procuradoria-Geral da República. Em busca de redução da pena e proteção, pois se diz ameaçado de morte, o chefe do "núcleo operacional" declarou, depois de sete anos em silêncio, que tudo foi combinado com o ex-presidente, que teria recebido dinheiro até mesmo para fins pessoais. Mas essa é outra história, que poderá ser contada em outro livro, caso o Ministério Público abra investigação contra Lula.

Com as 53 sessões do julgamento pelo Supremo Tribunal Federal transmitidas ao vivo pela TV Justiça, o povo brasileiro pôde rememorar todos os lances daquele período tumultuado e triste de nossa história recente. A acusação do procurador-geral da República Roberto Gurgel teve a virtude de relembrar as "tenebrosas transações" ocorridas então. Desde os carros-fortes que carregavam a dinheirama dos mensaleiros até a lavagem do dinheiro em diversas modalidades financeiras e os saques na boca do caixa, tudo se encadeia, perfeitamente provado em perícias e documentos.

A complexidade da trama fez com que o presidente do Supremo à época da abertura do julgamento, o ministro aposentado Carlos Ayres Britto, defendesse a posição da corte dizendo que o que havia de excepcional em todo o processo era o caso em si, e não a posição majoritária do plenário.

Na apresentação de *O lulismo no poder*, me referi assim ao caso:

> O episódio do mensalão foi o ponto de inflexão de seu governo. Até aquele momento, em 2005, o de Lula era "um governo que não roubava nem deixava roubar", na definição do então ministro-chefe do Gabinete Civil, José Dirceu, depois identificado pelo procurador-geral da República como o chefe de uma quadrilha que, de dentro do Palácio do Planalto, organizou a compra de partidos políticos inteiros para dar apoio ao governo no Congresso. No dia em que o publicitário Duda Mendonça, autor do personagem "Lulinha, Paz e Amor" que foi eleito em 2002, confessou na CPI que recebera dinheiro ilegal em um paraíso fiscal como pagamento da propaganda para a campanha presidencial que elegeu Lula, houve choro e ranger de dentes no Congresso. Foram meses com o fantasma do *impeachment* rondando mais uma vez o

Palácio do Planalto, e houve até mesmo uma tentativa de acordo, levada a cabo pelos então ministros Antonio Palocci, da Fazenda, e Marcio Thomaz Bastos, da Justiça, para que a oposição não insistisse no processo, com a contrapartida de Lula desistir de reeleição.

A oposição, na definição do ex-presidente Fernando Henrique Cardoso, não tinha "gosto de sangue" na boca, e temeu a ameaça de que os chamados "movimentos sociais" sairiam à rua para defender o mandato de Lula.

O próprio Fernando Henrique dizia que não era inteligente criar "um Getúlio vivo", referindo-se ao episódio do suicídio de Getúlio Vargas, que reverteu o estado de espírito da população a favor do presidente morto. Lula reverteu a percepção do povo brasileiro de maneira espetacular sem precisar de gestos extremos.

O julgamento do caso só aconteceu nove anos depois de os fatos ocorrerem, sete anos depois de denunciados e cinco depois do início do processo. Num país em que, de maneira geral, políticos não vão sequer a tribunal, 38 réus ligados direta ou indiretamente ao governo que está no poder julgados pela última instância do Poder Judiciário é fato que por si só fortalece a democracia brasileira. Há outro detalhe fundamental no julgamento: ninguém sabia o resultado que sairia da cabeça dos juízes, e a constatação, corriqueira em um país com as instituições democráticas amadurecidas, é significativa no Brasil e na América Latina de nossos dias.

Uma corte formada por nada menos do que oito ministros, dos onze titulares, nomeados por um mesmo partido político e que continua no poder — seis por Lula e dois por Dilma —, chegar a um julgamento dessa importância sem que o resultado esteja previamente definido pela submissão política de seus membros demonstra quão distante estamos de nossos vizinhos.

O julgamento levou quatro meses. Através dele, a sociedade brasileira colocou-se em posição de igualdade com outras democracias amadurecidas. Formou-se uma consistente maioria no plenário do Supremo Tribunal Federal pela condenação de boa parte dos réus: 25 foram condenados, 12 absolvidos, e o ex-ministro Luiz Gushiken retirado do processo por unanimidade.

A pretexto de evitar a politização do julgamento, petistas ilustres, a começar por Lula, exerceram, por meses, pressão nunca vista sobre o Supremo Tribunal Federal para que não se realizasse durante as eleições municipais. A preocupação era tamanha, que o ex-presidente chegou a ameaçar Gilmar Mendes de que denunciaria, na CPI do Cachoeira, uma suposta relação do ministro com o bicheiro, o que foi prontamente repelido.

Tornado público o episódio, ficou claro que não havia o que denunciar, e o tiro saiu pela culatra. Inevitável o julgamento, Lula passou a procurar outros ministros em busca de apoio à tese de que tudo não passara de uma farsa. A Dias Toffoli foi dito, em público pelo atual prefeito de São Bernardo, Luiz Marinho, e em particular pelo próprio Lula, que não tinha o direito de se declarar impedido, mesmo tendo trabalhado sob as ordens do ex-ministro José Dirceu e assinado documento, na posição de delegado do PT, afirmando que o mensalão ainda estava para ser provado.

O ministro Ricardo Lewandowski recebeu Lula em casa, em São Bernardo do Campo, antes do julgamento, e colocou-se na maioria das vezes como o contraponto ao relator do processo, Joaquim Barbosa. O protagonismo de Lewandowski serviu também para retirar o foco de Dias Toffoli, que se mostrou à vontade para participar do julgamento.

A acusação enfrentou também os argumentos da defesa de que não haveria provas nos autos para condenar o ex-ministro José Dirceu, classificando-os de "risíveis". Para derrubar essa visão, Roberto Gurgel salientou que as provas testemunhais têm o mesmo valor das documentais, e citou a teoria do "domínio final do fato", que define o autor do crime como aquele que pode decidir quanto à sua realização e consumação: "Nas palavras do mestre [Heleno Fragoso], seria autor não apenas quem realiza a conduta típica, objetiva e subjetivamente, e o autor mediato, mas também, por exemplo, o chefe da quadrilha que, sem realizar a ação típica, planeja e decide a atividade dos demais, pois é ele que tem, eventualmente em conjunto com outros, o domínio final da ação."

O PT usou a CPI do Cachoeira para tentar confundir o ambiente político em que o julgamento do mensalão ocorreria, e colocou como alvo preferencial de seus ataques o procurador-geral da República, Roberto Gurgel, que tentou desacreditar diante da opinião pública. Todas as manobras, contudo, foram esvaziadas diante da torrente de provas reveladas pelo relator Joaquim Barbosa, símbolo da justiça eficiente, que se transformou em verdadeiro ídolo popular, a ponto de a máscara com seu rosto ser a favorita para o carnaval.

O julgamento do mensalão pelo Supremo Tribunal Federal trouxe duas definições fundamentais para o aperfeiçoamento da democracia brasileira: a de que houve compra de apoio político no Congresso, inclusive com dinheiro público, por parte do Executivo, e a de que essa prática coloca em risco o equilíbrio entre os poderes da República.

O decano do Supremo Tribunal Federal, ministro Celso de Mello, pronunciou um dos votos mais importantes não só do processo em análise, mas da história do Supremo Tribunal Federal, ao estabelecer que "o Estado brasileiro não tolera o poder que corrompe e nem admite o poder que se deixa corromper", enquadrando o julgamento na ótica da preservação da República. Ao votar a favor do crime de quadrilha, ampliou a interpretação e equiparou a "ameaça à paz social" feita pelos bandidos à insegurança provocada por "esses vergonhosos atos de corrupção de parlamentares profundamente levianos quanto à dignidade e à respeitabilidade do Congresso Nacional".

Também o presidente da corte, Carlos Ayres Britto, deu a dimensão da gravidade do esquema criminoso ao concordar que seja representativo "de poder ideológico partidário", que acontece "mediante a arrecadação mais que ilícita, criminosa, de recursos públicos e privados para aliciar partidos políticos e corromper parlamentares e líderes partidários".

A maioria do plenário concordou em que o que houve foi compra de apoio político, e não caixa dois eleitoral, tese que o governo defendia desde 2005, quando o escândalo estourou. Só o revisor Ricardo Lewandowski a abraçou explicitamente. Até mesmo Dias Toffoli — que, insisto, nos tempos em que trabalhava para o PT, dissera que o mensalão ainda estava "para ser provado" — admitiria, em plenário, que houve compra de votos no caso do PL.

O dia histórico em que o ex-todo-poderoso ministro petista José Dirceu foi condenado por corrupção ativa pelo Supremo Tribunal Federal se caracterizou pelas atitudes de dois juízes, ambas marcantes no transcurso do julgamento. Dirceu entrou para a história, desta vez, pela porta dos fundos, algo ressaltado pela ministra Cármen Lúcia ao declarar que então não julgava o passado nem dele nem de José Genoino, também condenado, mas as atuações de ambos nos crimes relatados nos autos. Cármen Lúcia não apenas o condenou como registrou sua estupefação diante da defesa do advogado Arnaldo Malheiros, que tratara o que chamou de caixa dois eleitoral como uma coisa normal na atividade política.

O Supremo Tribunal Federal destruiu a trama de que o caixa dois explicaria a distribuição de dinheiro feita pelo PT, e Cármen Lúcia, que, por coincidência, preside agora o Tribunal Superior Eleitoral, chamou a atenção para a desfaçatez do advogado que, diante da corte mais alta do país, confessou crime de seu cliente como se tal não gerasse consequências: "Não pode chegar aqui e dizer: 'Ora, não declarou porque era ilícito.' O ilícito não é normal. Ora, caixa dois é crime, é uma agressão à sociedade brasileira" — reagiu, com indignação, a ministra, que declarou que essa atitude a convenceu de que o esquema montado era muito maior do que aparentava.

O país acompanhou pela TV, ao vivo e em cores, e é testemunha de que tudo se passou na mais perfeita ordem democrática do estado de direito. Nada mais emblemático que o julgamento chegar a termo ao mesmo tempo que novo escândalo de corrupção é revelado, envolvendo algumas das figuras condenadas na ação penal 470, como o ex-ministro José Dirceu e o ainda deputado federal Valdemar da Costa Neto.

A intrincada relação entre funcionários públicos e agentes privados e o aparelhamento da máquina estatal a serviço dos interesses pessoais e partidários do mesmo grupo enredado no mensalão demonstram o quanto está arraigado na prática política brasileira o patrimonialismo, que se revela desde a troca de favores banais a grandes negociatas.

Um dirigente partidário petista que recebe um jipe de presente por um servicinho prestado equivale a uma operação plástica para a secretária catapultada a chefe de gabinete da Presidência da República em São Paulo, em troca talvez de uma audiência marcada. Um dirigente do Banco do Brasil que se deixa subornar equivale a um diretor de uma agência reguladora que recebe propina para facilitar o projeto de uma empresa privada qualquer. Questões privadas resolvidas em esquemas que envolvem dinheiro público, como o emprego para a ex-mulher do político poderoso ou um cruzeiro marítimo para a secretária que diz que conversa com o ex-presidente todos os dias e que, por isso, tem acesso a ministros e políticos influentes.

De nada adiantaram, então, os quatro meses do julgamento, que a nação acompanhou entusiasmada, as penas rigorosas e a sinalização de que todos são iguais perante a lei? Seria ingenuidade achar que a corrupção acabará devido ao rigor do Supremo Tribunal Federal na apreciação do mensalão; esses escândalos sucessivos estão aí para nos colocar diante da realidade, mas seria também pessimismo excessivo achar que tudo será como antes no país.

Formou-se, nos últimos tempos, o que pode ser comparado a uma "tempestade perfeita" em favor do aperfeiçoamento de nossas instituições democráticas. A Lei da Ficha Limpa, aprovada por pressão direta da sociedade sobre o Congresso, criou as bases para uma gradativa seleção dos candidatos, ao mesmo tempo que, nos tribunais superiores, assumiam juízes comprometidos com essa visão: Ayres Britto, na presidência do Supremo Tribunal Federal, e Cármen Lúcia, na do Tribunal Superior Eleitoral. Foi essa conjunção de fatores que fez com que o processo do mensalão fosse adiante, contando ainda com o ministro Joaquim Barbosa na relatoria e agora, com a aposentadoria de Britto, à frente do Supremo Tribunal Federal.

Ainda falta muito a fazer, reformas fundamentais estão abandonadas, e o Congresso não cansa de enviar sinais de que resiste a essa onda de revitalização. Mas a impunidade como regra do jogo aceita por todos está, sem dúvida, com os dias contados, o que não quer dizer que a justiça será feita inevitavelmente.

Entramos, no entanto, em outra fase de nosso processo civilizatório, no qual há mais chances de o poderoso de plantão, apanhado com a boca na botija, pagar por seus crimes, talvez até mesmo na cadeia. A corrupção, essa não acabará, como não acaba em lugar algum, até mesmo naqueles em que a punição é um tiro na nuca.

A sensação de impunidade, contudo, esta certamente foi reduzida, embora possa haver quem considere esse um caso de exceção, que não se repetirá mais. Os que pensam assim, ou são partidários dos condenados e querem ver no julgamento um viés político para neutralizar suas culpas, ou são céticos que, creio, o tempo se encarregará de convencer.

Todo o processo do julgamento do mensalão correspondeu a um avanço da cidadania, até mesmo os bate-bocas ocorridos no plenário do Supremo Tribunal Federal, transmitidos ao vivo pela TV Justiça. Se quase ninguém hoje é capaz de dizer o nome de onze ministros de Estado do abarrotado gabinete ministerial de Dilma, serão poucos os brasileiros que desconhecem os ministros do Supremo. Até mesmo o grau de endeusamento a que foi elevado o relator do processo, Joaquim Barbosa, integra esse cenário de aperfeiçoamento de nossa democracia, que chegará um dia a não precisar de heróis.

No atual estágio em que nos encontramos, é sintomático, porém, que o povo tenha escolhido seu herói entre os ministros do Supremo, enquanto os militantes partidários tentam em vão transformar em heróis alguns dos réus condenados.

Este livro foi composto na tipologia Minion
Pro Regular, em corpo 11/15, e impresso em
papel off-white no Sistema Cameron da Divisão
Gráfica da Distribuidora Record.